ポーション頼みで生き延びます！ 10

DESIGN:
MUSICAGOGRAPHICS

「この度は、御招待いただき、ありがとうございます」
「……あ、ああ……」
よし、驚いてる驚いてる！

「こ、これは……」

「ガラスの置物です」

「……」

あれ？

ああ…

!?

うーーん…

「あ…………」
やらかした。
ここは、あの台詞で誤魔化すしかない！
「あの～、私、また何かやっちゃいましたか？」

CONTENTS

IKINOBI MASU

第七十六章　町

ハンターギルド支部でみんなと別れ、単独行動。

で、まず最初にするのは、宿を押さえることだよねぇ。

出遅れて、いい宿が取れずに下級ハンター達と雑魚寝、とかになったら、目も当てられない。

ま、ちゃんとみんなに女性が安心して泊まれる宿屋を教えてもらったから、満室になる前に部屋を押さえられれば、問題はない。

女性の安全、ということに関してハンターの常識を無条件で信じるのは怖かったので、ちゃんと商人さんにも確認して裏を取ってあるから、安心だ。

勿論（もちろん）、さすがに清貧であるはずの聖女や野良巫女（みこ）がお風呂があるような高級宿に泊まるわけにはいかないので、程々の宿だ。

汗や老廃物はアイテムボックスに収納するから、お風呂はなくても大丈夫。

この方法は、レイコに教わった。

どうして、アイテムボックス使用歴が長い私が思い付かなかったのに、新人のレイコが思い付くんだよっ！

……まあ、日本人だから、いくら身体や衣服がそれで綺麗にできても、入れる時にはお風呂に入るんだけどね……。

町に立ち寄るのは、別にこれが初めてというわけじゃない。

野良巫女としての活動は、小さな村や街道の休憩スペース、町外れの孤児院とかでやって、大きな町とかでは一般人の振りをしているから、巫女として町に入るのは初めてだけどね。

いつもは、町に入る前に普通の服に着替えているけれど、今回は商人さんや護衛のハンター達と一緒で着替える暇がなかったし、これから先の都合により、元々着替えるつもりもなかった。

今までは、私が町に立ち寄るのは観光、地元料理を食べる、みんなへのお土産の購入、ちゃんとしたベッドで寝る、その他諸々で、野良巫女としての活動とは無関係だったのだ。

大きな町で活動すると、滞在日数が延びて、話を聞きつけた神殿関係者とか貴族とか、そして無料で怪我を治させようとするハンターとかが集ってくる確率が跳ね上がるからね。

いや、名前を売ろうとはしているのだけど、それはジワジワと王都に評判が届いて、という作戦であって、地方都市で囲われて食い物にされるためじゃない。

なので、小さな村や街道での行きずりの相手とか、町外れの孤児院とかでの短時間の活動のみで、すぐに現場から離脱するというやり方をしているのだ。ヒットアンドアウェイ、ってやつだね。

私はハンターギルドにも神殿関係の施設にも立ち寄らないから、他の場所で関わった人達と偶然出会わない限り、野良巫女としての私の正体がバレる心配は、ほぼ無い。

それに、巫女としての私と出会っていても、巫女服の印象が強くて、私服の私を見ても、巫女としての私とは頭の中で繋(つな)がらないだろう。少し俯(うつむ)き加減にでもしていれば、印象も大きく変わるし……。

いや、そりゃ勿論、顔の偽装(フェイスチェンジ)で完全に別の顔にすれば完璧なんだけど、別にそこまでして正体を隠す必要はない。野良巫女エディスが町に立ち寄っていても何のおかしなこともないし、逆に全く町に立ち寄らないという方が不自然だ。

なので、たまに正体がバレるけれど、おかしなのが寄ってくる前に町を離れる、というのが丁度良い感じだろう。

でも、今回はいつもの巫女服のままだし、野良巫女として行動している時のように、背筋をピンと伸ばして、顔を上げて堂々と歩いている。

……今までに野良巫女としての私を見たことがある者なら、一目で分かるだろう。

また、野良巫女エディスとしての私と会ったことがある者がいなくても、この町では見掛けたことのない巫女、そして神殿には近付かないし町では巫女としての活動もしないとなると、既に噂(うわさ)が広まっているらしい『小さな村々や孤児院を巡る、野良巫女エディス』と結び付けるのは容易だろう。

そして、私が今回は巫女服のままで町に入った理由。

……うん、勿論、迎撃するためだ。

ほぼ間違いなく第二次攻撃隊を送り込んでくると思われる、あの兵士達を雇っている親玉からの攻撃を……。

そのためには、色々と準備が必要だからね。

＊　＊

「……御招待、ですか？」

「はい。是非とも、と、領主様が強くお望みです」

うん、来たねぇ。

この町と、周辺のいくつかの村を治めている領主さんからの遣いの人。

あの商人さんや護衛の人達が私のことを触れて回っているだろうし、私は『神出鬼没の、謎の野良巫女』として、そこそこ名が売れてきているらしいからねぇ。

そして、普段は孤児院や貧しい村々で炊き出しとかの慈善活動をしているけれど、時たま、怪我人や病人に女神の御慈悲としてささやかな治癒の力を行使する、という噂も……。

だから、来るとは思っていたよ、ここの地元貴族とか大店（おおだな）の商会主とかからの御招待が。

治癒の力は、私の力ではなく皆の願いを女神様に取り次ぐだけ、ということにしてあるし、その効果も、腕の良い医者や薬師と大して変わらない、というレベルにしてある。

……ムキになって私を手に入れたがるほどの価値はない、という程度に……。

でも、いくら同じ程度の治療が他の手段でもできるとはいえ、『女神のお力』、『女神の奇跡』という有り難みというか、ネームバリュー的な効果は、大きいよねぇ……。

あそこの御令嬢は、女神の祝福を受けて御病気が治ったそうな、とかいう話になると、医師や薬師により治療された場合の、『病気に罹(かか)って、なんとか治った令嬢』ではなく、『女神の祝福を賜った、女神に護られ、愛されし御令嬢』になるわけだ。

……そりゃ、医師や薬師ではなく、女神様に治して貰(もら)いたいよねぇ。

それに、女神にお願いできるのが、怪我や病気の治癒だけではないかも、とかいう下心も……。

あの商人さんや護衛の人達には、別に口止めとかはしていない。

なので、皆さんは私のために良かれと思い、私がこの町に来ていることをあちこちで喋(しゃべ)ったのだろう。

私の過去の活動についてとか、どこかの貴族か金持ちの手の者に拉致されかかったこと、そして自分達がそれを防ぎ、護ったこととかを……。

それは私の身を護る一助となるし、自分達が女神の使徒を護ったという宣伝になるから、その話を広めることには何の問題もない、と考えて。

事実、その通りだしね。

それと、ここの地元の貴族が絡めば、あの拉致を企んだ一味から私を護れるだろうと考えてくれたのかもしれないな。

ここの貴族にとっては、私と知り合いになることはメリットがあるだろうし、逆に自分の領地で私が襲われ拉致されたなどということになれば、ちょっとマズいことになるだろうから……。

それに、フリーの慈善活動家は、名が売れると色々とやりやすくなるからね。寄付が集まりやすくなるし、初めての場所でも大歓迎で受け入れられて、手伝いを申し出てくれる人も多くなる。

そして私のように、上の方にコネを作って、とか考えている者にとっては、とてもありがたいことだ。

そういう人達は、普通ならもっと露骨に宣伝して売名行為に走るのだろうけど、私達はそういうのはあまりやり過ぎないようにしている。

私達は、上の方の、一部の有力者にコネができればいいんだ。

有象無象に集られ、纏い付かれたいわけじゃない。

今現在名前を売っているのは、その上の方への繋がりを作るためだ。

まぁ、繋がりができた後も、一般民衆を味方に付ける程度の活動は続けるけれど、それはあくまでも片手間でのサービスだ。

いや、この世界で生きる人達のために力になりたいとは思ってるよ。

でもそれは、自分の周りにいる人達から始めて、徐々に周囲に広げていきたいんだよね。

奇跡の力を無制限にバラ撒いて、っていうのじゃ駄目なんだ。

そんな、個人の異能に頼った一過性のものなんか、人々のためにはならないよ。

そんなのに頼っていて、もしそれが急に失われたら、どうするんだよ……。

とにかく、領主様の御招待を受けることにした。

日時は今日の夕方。

……夕食の御招待、ってことだ。

流浪の野良巫女ってことで、碌なものを食べていないだろうと、胃袋を摑みにきたのかな？

＊　＊

夕方になり、迎えの馬車で領主邸へとやってきた。

家令か執事か、何かそんな感じのお爺さんに案内されて、領主様とご対面。

夕食に招かれたのだろうけど、いきなり食堂ではなく、応接室のようなところへ通された。

勿論、そこで待ち受けていたのは、領主様と上級使用人らしき人。

明らかに戦闘員らしからぬ小娘ひとりに、護衛は必要ないよね。

多分、領主様自身も、かなりの年配である使用人も、ある程度の武術の心得はあるだろうし、壁とか床下とか天井裏とか、あるいは整理簞笥の中とかに護衛が潜んでいるのかもしれないけどね。

隠し武器とかも用意されているに決まってるし。

「この度は、御招待いただき、ありがとうございます」

「……あ、ああ……」

よし、驚いてる驚いてる！

そりゃ、みすぼらしい恰好をした平民の野良巫女が来ると思っていたら、デザインはシンプルだけどメッチャ高価そうな布地を使った、洗練された巫女服を着た御令嬢がやって来たのだから、驚きもするか。

この巫女服、ドレス姿の貴族の御令嬢と並んでも見劣りしないんだよねぇ……。

上品で光沢のあるこの布地、この世界ではどれくらいの価値があるのやら……。

勿論、いつも着ているやつじゃない。

こんなのを着てボランティア活動をする野良巫女がいたら、みんなも対応に困るだろう。

汚したら大変そうだし……。

あ、これはポーション容器ではなく、恭（きょう）ちゃんの母艦の自動工場製だ。

デザインは、恭ちゃんとレイコが担当した。

……私には、そっち方面の才能がゼロだからねぇ……。

だから、ポーション容器として出すのは断念したのだ。

科学的なものを出すなら、私があまり詳しく知らないものでも容器担当（なぞのシステム）がちゃんと作ってくれるのだ、私が望む機能を持つようにして。

……でも、服のデザインとかは、私が考えた通りのものができてしまうのだ。形が崩れていようが、柄がおかしかろうが……。

どうも、デザイン性を重視するものは、歪（ゆが）んでいても、それが私が望んだ芸術性だと判断されるらしいんだよ……。

どんな基準なんだよ、クソッ!!

……なので、私がポーション容器として出せるまともな服は、無地のシャツとかジーンズとかの、シンプル、かつ私が完全に記憶している馴染(なじ)み深いものだけだ。ポケットに小さなポーション容器をくっつけてね。

とても、込み入ったデザインのものなんか作れやしないよ。

いや、作ること自体は可能なんだけど、全部、左右非対称だったり、袖の長さが違ったり、全体的にちぐはぐになったりして、道化師が着るようなのになっちゃうんだ。私がそういうものを望んでいると判断されて……。

恭ちゃんの母艦にも、未来的なデザインの服のデータはたくさんあったけれど、こういう世界用のものはなかった。

……当たり前か。

なので、恭ちゃんとレイコがデザインしてくれたわけだ。それをコンピュータに指示して、自動工作機械で作製。

素材は、科学的か化学的か、何かそんなので合成されたヤツ。見た目や手触りとかはシルクを凌駕(りょうが)し、丈夫で汚れが付きにくい。通気性も抜群。不燃性で、防刃効果あり。

アクセサリーも、宗教的に見えるものをいくつか作って、身に着けている。

勿論、あまり華美ではなくシンプルで控え目なデザインだけど、売れば凄い高値が付くやつだ。

……そしてその中のいくつかは、護身用の武器になっている。

生体認証で私にしか使えないようになっているけど、操作すると光線剣(ライトセーバー)のような光刃が形成されるようになっているのだ。

あ、この特製巫女服や普段着ているやつだけではなく、ごく普通の巫女服、安物の巫女服、ボロボロの巫女服、孤児を拾った時用の子供サイズの巫女服、戦闘用の巫女服、その他諸々、アイテムボックスの中に各種取り揃(そろ)えてある。状況に合わせて、臨機応変に使えるように。

……準備は万全だ！

今回、私には選択肢がふたつあった。

ひとつは、如何(いか)にも『平民の野良巫女が、苦労していますよ』という感じの、安物の薄汚れた巫女服を纏った姿での訪問。

そしてもうひとつが、この、明らかに平民ではあり得ない、高貴な身分っぽい姿での訪問だ。

これで、この領主は私に対して高圧的な態度に出たり、ゴリ押ししたりはできないはずだ。

私の身分とか、実家とか、後ろ盾(バック)とかがはっきりしないうちは……。

そして、世俗を離れた巫女は、以前の身分について言及するものではないというのが、この業界での常識だ。

いくら領主様であっても、それを聞き出そうとするのは、完全にルール違反だ。

「あ、失礼した！　ようこそお越しくださった、どうぞお掛けください！」

うん、私の身分が判断つかないから、どういう態度や言葉遣いにすればいいか分からなくなって、混乱しているな……。

多分、予定では、真偽不明だけど巷(ちまた)で聖女だと言われている平民の野良巫女……神殿に属しておらず、公的な身分のない自称のみの巫女。勿論、正式名称ではなく蔑称なので、面と向かって本人をそう呼ぶ者はいない……を上から目線で『何者かに狙われているそうだから、保護してやろう。その代わり、女神のお力とかいうものを見せてみろ』とか言って、もし本物の聖女だった場合には囲い込んで、とかいうつもりだったのだろうな……。

でも、相手が金持ちで、身分のある者……もしかすると、自分より高位の貴族の娘……である可能性が出てきた今、どうするか……。

普通だと、平民相手に貴族があまりへりくだった態度を見せるのは良くないだろう。

でも、自称とはいえ一応は聖職者である巫女……地球とは違い、ここでは巫女も聖職者や神職者扱いされる……相手ならば、貴族が敬語や丁寧な言葉遣いをしても、まぁ、多分問題はないのだろう。

でも……。

「…………」

私に座るよう促(うなが)した後、黙りこくったままの領主様。

うん、どうやら予定していた『平民の野良巫女に対する言葉』が言えなくなって、困ってるみたいだなぁ……。

よし、ここは友好的に……。

「それで、私をお招きいただきました御用件は……」

「う、うむ。巫女殿の感心な活動と、その身を狙う不届きな者共の存在を耳にしてな。

我が領内で、女神にお仕えする神職者に無礼を働くなど、領主として看過するわけにはいかぬ。なので、しばらくこの領主邸に滞在し、不届き者が諦めるのを待ってはどうか？」

うん、余計な詮索は後回しにして、とりあえず私を普通の平民の巫女として、しかし丁重に扱う、という方針にしたのかな？

いきなり真正面から身の上を聞くのもアレだろうからねぇ。

神職に就いた貴族とかは、普通、元の身分を詮索されるのは嫌がるだろうからなぁ。そういう人は、大抵は複雑な事情があるものだし……。

相手が平民であってもルール違反なのに、貴族には絶対に聞けないよね、そんなの……。

まぁ、妥当な判断だな。

頭が悪いわけではなく、言動もまとも。移動中に商人さんやハンター達に聞いた話では、平民にも無体な真似をするようなことはなく、貴族として、そして領主としては良い方、当たりの部類、とのことだったし。

なので、御招待にもふたつ返事で応じたわけだ。

これで、あの兵士4人組や、彼らを差し向けた黒幕も、町中で堂々と私に手出しすることはできなくなったかな。

……いや、元々、他領の兵士や商人の私兵が堂々と少女を拉致するのは大問題か。

それに、いくら領主様に歓迎していただいたとはいえ、白昼人前で堂々と、というのはマズくても、こっそりとバレないように拉致、ということに対する抑止力にはならないか。

その後、食堂に移動して、夕食会。

領主様側は、領主様御夫妻とお子様方……5～6歳くらいから12～13歳くらいまでの、男の子ふたりと、女の子ひとり。

勿論、使用人達はいるけれど、それは数には入らない。

食事をしながらの歓談の中で、『女神のお力を見せていただきたい』とか言われたけれど、それには『女神がお助けくださるのは、人々が真に心から願い、それを女神がお聞き届けくださった場合のみ』とか、『女神を試そうなどと、何たる不敬な！』とか言って、女神への謝罪の祈りをさせて、一蹴。

その後も、色々と話が続いたけれど、私に対する詮索は全て『巫女になる前のことは、今の私とは何の関係もありません』でブロック。

私を護るため、という建前での様々なお誘いや御提案も、『安全な場所ではなく、現地で人々を助けるのが、巫女としての私の使命ですので……』でシャットアウト。

夫人や子供達から振られた話題も、華麗に躱(かわ)す。

いや、私を12～13歳の子供だと思って話し掛けてくる相手をうまくあしらうのは、そう難しいことじゃない。それも、相手が私に関する情報を何も持っておらず、絶対に私を怒らせないように慎重にならなければならない場合には、特に……。

そして美味しそうな料理を食べ尽くして満腹になった後、もし御家族に何かあった場合にはお力になれるかも、という言葉を残して、さっさと引き揚げた。

よし、第一目標、クリア！

＊　＊

次は、ハンターギルドへ行って護衛を雇い、その後、商業ギルドへ行って、お金の工面と味方を増やすか……。

護衛は、兵士４人組とその雇い主の件が収まるまで、……つまり、私はこの町で待ち受けるつもりなので、ここにいる間だけ雇う予定だ。

自重なしならば護衛の必要はないけれど、少し女神とコネがあるだけの、ごく普通の一般人、という振りをするとか、揉め事が起きてから解決するのではなく未然に防止するとかなら、やはり護衛がいた方がいいからね。

商業ギルドの方は、ちょっと纏まったお金を調達する。

護衛代とかで色々と物入りだし、少し名前を売っておいて、この町での迎撃における味方を増やすのだ。

商業ギルドは、ここの領主様と金蔓（女神の御寵愛付き）対、他領の貴族かどこかの商店主という対立で、果たしてどちらに付くか。

……ま、考えるまでもないよね……。

それに、今の私は『リトルシルバー』の経営者であるカオルではなく、謎の野良巫女、エディスだ。

元々お金にはあまり困っていない設定なので、金目のものを換金して大金を手に入れても、問題ない。それによって商人が味方に付く確率を上げられるなら、万々歳だ。

……おかしなのに目を付けられるかもしれないけれど、それも考えての、護衛の雇用なのだ。

よし、問題、ないない！

＊　＊

翌日の朝、ハンター達の受注ラッシュが終わり、ようやく喧噪が収まったハンターギルド支部の1階、受付窓口で……。

「……護衛依頼、ですか？」

「はい。他の町への移動ではなく、この町に滞在している間の護衛です」

「…………」

受付嬢が怪訝そうな顔をするのも、無理はない。

護衛依頼が珍しいというわけではないが、それは、主に商隊が他の町へ移動するときに依頼するものである。町から出ないのに護衛を依頼する者は、滅多にいなかった。

勿論、貴族とか金持ちとかは町の中でも護衛を付けるが、それはお抱えの家臣や騎士、兵士達とか、常雇い（じょうやと）の専属護衛とかであり、指名依頼であればともかく、受注者を指名しない一般依頼で信用度が低い一見（いちげん）のハンターを雇うということは、まずない。

しかも、未成年の子供が、親や付き添いの大人が依頼するのではなく自分で依頼するなどということは……。

おまけに、その子供が巫女服を身に着けているとなれば、ますます謎が深まる。

普通、未成年の巫女は、神殿に所属しているはずである。

それが、このような単独行動で、自分で護衛を雇うなどということがあるとは思えない。

カオル（エディス）は、今は昨日の領主邸訪問の時とは違い、ごく普通の巫女服……神殿配下の巫女達とは少し違うデザインではあるが、明らかに巫女だと分かるもの……を着ている。

国や宗派の違いによって神職者の衣服が若干異なるのはごく普通のことなので、そこは問題とはならない。

なのでカオル（エディス）は、ごく普通の、平民の巫女だと思われているはずである。

そのため、単独で他の町へと移動するため護衛を雇うならばともかく、平民の子供の巫女……おそらくは、まだ見習い……が町の中で護衛を雇うなどというのは、この受付嬢の常識から外れたことなのであった。

なので、少し戸惑い、言葉を途切らせた受付嬢であるが……。

がつっ！

「ぎゃっ！　し、失礼いたしました、ご、護衛依頼でございますね……」

隣の窓口を担当している先輩受付嬢に脛を蹴られ、慌てて言葉を続けた。

……そう。ハンターギルドの受付嬢たる者、どんな依頼であっても動揺することなく、笑顔で平然と処理をしなければならないのである。

常に沈着冷静、豊富な知識と優れた判断力により、ハンター達から、そして依頼主達からの絶対の信頼を得る。それが、女性達の憧れのエリート職、ギルドの受付嬢なのである。

その信頼を揺るがすような無様な真似をした後輩には、強い指導が必要なのであった。

「はい。人数は３人から５人くらいまで。強さは、普通の兵士４～５人に勝てるくらい。３人か４人ならひとり以上、５人ならふたり以上の女性を含むこと、というのが条件です。期間は、とりあえず10日間。延長する場合は、双方が合意するならそのまま継続契約。合意がなければ、その場で契約満了。改めてここに次の護衛を募集に来ます。

予定より早く私の用件が終わった場合は護衛契約を打ち切りますが、10日分の護衛料は全額支払います」

「……ううん……」

悪い条件ではないはず、と考えていたカオルは、受付嬢が少し考え込んでいるのを見て、疑問に思った。

「あの、何か問題でも？」

「あ、いいえ、依頼内容には問題ありません。ただ、女性が含まれていること、という縛りがあると、依頼を受けられるパーティが限られますから……。

いえ、事情は分かりますよ、勿論。女の子にとってゴツくてむさい男性ばかりだと怖いですし、沐浴(もくよく)やお花摘み、同室での睡眠等、女性の護衛がいてくれると助かりますからね……」

本当は、護衛が男ばかりだと護衛自身に襲われるという可能性があるため、女性ひとりを密着護衛する場合は女性を含むパーティを選んでその危険を小さくするというのは周知のことであるが、さすがにギルド職員からそれを口にするのは憚(はばか)られるようであった。

しかし、そういう依頼は、町の外へ出る場合のもの、つまり仮想敵は魔物や盗賊である。

普通のハンターが3～4人いれば、はぐれのオークや数匹のゴブリン、コボルトくらいは追い払えるし、盗賊などという、兵士にもハンターにもなれなかった、そして日々の鍛錬をすることすらないクズなど、たとえ倍の人数であっても一蹴できる。

しかし、仮想敵が兵士となると、そうはいかない。

自分達に死傷者を出さずに、護衛対象を護りながら同数の兵士に勝てるパーティは少ないし、それらの大半はメンバーに女性を含んでいない。

更に、そんなに実力があるパーティは、町中での平民の少女の護衛依頼を受けたりはしない。

その少女が、どこかの国の王女様とかでもない限り……。

そしてカオルは、どう見ても王女様には見えなかった。

いくら頑張ったところで、せいぜい、嚙(か)ませ犬(いぬ)役の悪役令嬢である。

おまけに、このような条件で護衛を雇うということは、おそらく襲われるという確信があるのであろう。

でないと、かなり治安の良い町中で、平民が高額の護衛を雇うはずがない。

……しかも、普通は襲われることなどあまりないはずの巫女が、である。

盗賊やチンピラですら、巫女や神官を襲うことは滅多にないというのに……。

「条件に合うパーティが少ない上に、この依頼内容だと、受け手が……」

「報酬は、金貨50枚を考えています」

「え？」

固まる、受付嬢。

金貨50枚といえば、日本における５００万円くらいの金銭感覚である。

10日間の町中での護衛で、５００万円相当の報酬。

５人パーティならば、ひとりあたり１００万円。

３人ならば、１６７万円相当である。

それが、僅か10日間、もしくはそれ以下の日数で……。

町の中なのであるから、怪我をすればすぐに医師や薬師、神殿とかに駆け込めるし、そもそも、短時間だけ持ち堪えられれば、警備兵なり他のハンターなりに助けを求めることができる。

それに、そもそも町中で堂々と人を、それも巫女である平民の少女を襲う者がそうそういるとは思えないし、たとえそういうおかしな者がいたとしても、大人数や組織立った者達という確率は低いであろう。そう判断するのが普通である。

ならば、これはとんでもなく美味しい依頼……。

「その依頼、私達が受けますわ！」

「「え？」」

カオルと受付嬢の声がハモった。

そして……。

がつっ！

「ぎゃっ！」

再び隣席の先輩から脛に蹴りが入り、涙目の受付嬢。

「その依頼は、私達、『灼熱(しゃくねつ)の戦乙女』が受けさせていただきますわ」

依頼ボードに貼り出されるどころか、まだギルドが正式に受注してすらいない依頼。

それを横から掻(か)っ攫(さら)うのは、明らかにルール違反である。

しかし、幸か不幸か、今、ここにはカオルが提示した条件に合致したハンターパーティが他にはいなかった。

主に、女性を含む、という部分において……。

もし他にもこの依頼を受注可能なパーティがいたならば、一悶着(ひともんちゃく)あってもおかしくない状況であった。

上手くすれば、なにもせずに10日間で金貨50枚。

もしこの少女が襲われたとしても、戦い、敵を蹴散らせば済むだけのこと。

町の中か孤児院までの日帰りの散歩程度で、大儲け。

それは、受注可能なパーティならば、飛び付いてもおかしくない案件であった。

なぜ平民の巫女が、こんな依頼に金貨50枚も出すのか、ということに疑問さえ抱かなければ。

「で、でも、『灼熱の戦乙女』の皆さんは、対人戦の経験があまり……」

「誰でも、最初は『初めて』ですわ。最初からベテランの経験者、などという方はおられませんわよね？　そして私達は、魔物との戦闘においては、充分な実績がありますわよね？　対人戦で数名の兵士を一蹴するレベルのパーティと遜色のないくらい……」

確かに、このパーティ、『灼熱の戦乙女』は、オークどころか、複数のオーガやグレイベアを屠ったことが何度もある。戦闘力で言えば、確かに充分な受注資格があった。

「……う、は、はい、まぁ……。し、しかし……」

がつがつっ！

「ぎゃあ!!　……は、はい、分かりました……。

しかし、それは依頼人と面談し、合格されれば、ということにさせていただきます」

客からは見えないカウンターの下で、脛にかなりのダメージを受けたらしき受付嬢が、目尻に涙を浮かべながら、それでもきりりとした表情でそう断言した。

「それでいいですわ。では、さっさと依頼者さんからの受注処理をして、引き続き私達からの受注申し込み処理をしてくださいまし」

そして、その遣り取りをぽかんとした顔で眺めている、カオル。
『灼熱の戦乙女』。
それは、そのパーティ名の通り、女性5人のパーティであった……。

第七十七章　迎　撃

ハンターギルドの面談室では、最初のうちは受付嬢が立ち会ったが、カオルがこのパーティが良さそうだから詳細の打ち合わせに入りたい、と言った時点で、受付嬢は席を外した。

依頼人にも受注者にも、あまり広めたくはない秘密というものがある。

なので、依頼に関する踏み込んだ内容の説明や、ハンター側がそれを遂行する能力があることを依頼者に説明するところには、ギルド職員は立ち会わない。

そして……。

「……では、よろしくお願いいたします」

「「「「よろしくお願いします!!」」」」

仕切り直しの挨拶をして、互いに詳細のすり合わせに入った。

まだ、『好感触』というだけであり、契約が成立したわけではない。これから契約内容の詳細を説明し、条件が折り合わなかった場合は、この話はなかったことになる。

彼女達は真面目で礼儀正しく、誠意のあるパーティであったが、それだけでどんな依頼でも受けられるというわけではない。

……受注申し入れの時は少しルール違反っぽかったが、あれは美味しそうな依頼を絶対に逃がしたくなかったため焦っていたのであろう。

他に受注できるパーティがその場にいなかったのは、幸いであった。

もし他にもいたら、揉め事になった可能性はかなり高かった。

カオルがこのパーティを気に入ったのは、他には受注条件に合致するパーティは少ないだろうと受付嬢に言われたことと、このパーティは全員が女性だったからというのが大きかった。

男性がいなければ、色々と気を使わなくて済むから、楽ちんである。

それに、女性ばかりでやっているということは、この連中は『姫プレイ』に頼るようなことのない、ガチ勢、実力主義の連中だと判断したからである。

カオルは、姫プレイやらパーティ内でのドロドロの男女関係やらに付き合うつもりはなかった。

＊　＊

うん、これは『当たり』かもしれないな。

ハンター達は、見た通り、女性ばかりの5人パーティだ。

女性はどうしても男性に較べると筋力が劣るため、3～4人の最少人数ではなく、やや多めの5人にしたらしい。

メンバーの怪我やその他の理由による一時的な離脱や休業の時には臨時のメンバーを入れたり、

そして新人を養成する期間には６人パーティになったりするらしい。

現在のメンバー構成は……。

リーダーのイシュリスさん、32歳。剣士で、歩兵剣(ショートソード)を使う。

何と家族持ちであり、夫と、12歳と15歳の子供がいるそうな……。

夫は、ハンターではなく料理人として働いているから、もしイシュリスさんに何かあっても子供達のことは心配ない、とか……。

いいのか、それで！

……そして、どこでそんな理解ある旦那さんを捕まえたんだよ！

アレか？

俺が作った料理を美味そうにバクバク食うお前の姿に惚(ほ)れた、とかいうヤツかよ！

クソッ！

パーティリーダーではあるけれど、それはパーティの活動方針を決めるとか、普段の時のことであり、戦闘時の指揮は別の人が執(と)るらしい。

まあ、一番前で戦う前衛職の剣士に、戦闘中の全体指揮は無理だよねぇ……。

剣士のエミスさん、25歳。大型剣であるクレイモアを使うらしい。

クレイモアは、片手で扱えるものもあるけれど、大半は両手で使うらしい。エミスさんは女性なので、常に両手で使うそうな。

軽戦士のシェルナさん、21歳。二刀流で、利き腕である右手にやや軽そうなレイピア、左手に受け流し用の短剣の一種である、マンゴーシュのような武器を持つらしい。

マンゴーシュのようなやつは、勿論武器としても使用するけれど、相手の攻撃を受け止めたり、受け流したりという、防具として使うことが多いそうだ。

対人戦でも、魔物相手でもOKらしいけれど、幅広の剣とかが相手だと受けるのは難しいし、こちらの武器が破壊される危険があるそうな……。

……剣士と戦士の違いが、今ひとつ分からないんだよなぁ……。

主武器がレイピアなら、剣士じゃないのか？　剣の一種だよね、レイピアって……。

剣だけを使うのが剣士、色々な武器を使うのが戦士だっけ？

ならば、レイピア以外の武器も使うのかな？　器用だなぁ……。

……あ、マンゴーシュみたいなのを使うから、『お前は純粋な剣士ではない！』とかいって、剣士業界からハブられているとか？　世知辛いねぇ……。

槍士のネイリーさん、17歳。他のメンバーに較べ、少し若いなぁ。養成枠かな？

弓士のチェシアさん、28歳。戦闘時の指揮官。弓士兼短剣使いで、斥候役もこなすらしい。

そして、戦闘時の槍士の護衛役……急に接近されて槍では防ぎづらい間合いに入られた時に、短剣で護る……とかも務めるらしい。

確かに、後衛であり遠距離武器も担当するとなれば、戦いの全体を把握して指示を出すには最適の配置かもしれない。

……でも、ひと言、言わせてもらいたい……。

「チェシアさんの負担、大き過ぎ!!」

「「「「…………」」」」

思わず口にしてしまった私の言葉に、チェシアさん以外の４人が俯き、そしてチェシアさんは、うんうんと頷いている。

……みんな、気付いてはいたのか……。

まぁ、私が口出しするようなことじゃないか。

各職種は、バランスが取れていて、いい感じだ。

そして、パーティ全体の強さ的には、私の要望を充分に満たしているらしい。

……つまり、普通の兵士４～５人に勝てるくらいの実力があるということだ。

それについては、『少なくとも、魔物相手の戦いにおいては、充分にそれに相当する実力がある』と、受付嬢が太鼓判を押してくれた。

ただ、実際に対人戦においてそれだけの敵と自分達だけで戦ったことはないらしいのだけど、そりゃ、そんなに誰にでもそういう機会があるわけじゃないだろう。

他のパーティとの合同受注で商隊の護衛を務め、盗賊を殺したことはあるらしいから、その場になって『くっ、私には人は殺せない……』なんてことはないそうだから、安心だ。

「割と年齢層がバラけているんですね……」

「ええ。年齢が近い者で固まっていると、皆が同時期に休職したり引退したりしてしまって、戦力が一挙に低下してしまい、パーティが存続できなくなるでしょう？　年齢が散っていれば、順番に

抜けていきますから、その分だけ補充すればパーティが分解したり一度に戦力が低下したりしませんからね」

「あ、なるほど……」

納得した。そりゃ、結婚や出産とかで休業や引退する者もいるよねぇ……。

「……で、イシュリスさん、貴族出身か何か……、あ、ごめんなさい！」

ハンターにとって、過去の詮索は御法度だったはず。しかも、貴族かどうか聞くなんて、どうかしてた！

もしそうなら、何か事情があるに決まってるじゃん！　馬鹿か、私!!

怒らせちゃったかな……。

「あ、いえ、そういうわけではありませんことよ。

……というか、これ、演技と申しますか、『役作り』なのですよ……」

「えええ！」

「いえ、女ばかりですと、どうしても舐められますわよね？　なので、良いところのお嬢様のような振りをして、『同じハンターですから仲間付き合いをして差し上げておりますけど、本当は平民など虫ケラのように思っておりますわ。なので、無礼な真似をすれば、割と簡単に無礼討ちにしますわよ？』とか、『あまり調子にお乗り遊ばしますと、隠れ護衛の者達が闇討ちいたしますわよ？』とかいう雰囲気を醸し出しているというわけですわ。

あ、自分達で『高貴な生まれだ』などとはひと言も口にしてはいませんわよ、勿論……。

私はこういう喋り方が癖だというだけで、出身については何も言っておりませんからね。

勿論、このことは契約における守秘義務の対象として、口外禁止ですわよ。

普通は依頼者にも余計なことは教えないのですが、あなたは約束を破りそうには見えませんし、10日間も一緒にいるのに、ずっと勘違いして緊張しているのはお辛いでしょうから……。

私達は全員、庶民も庶民、ド平民ですわよ、オホホホホ……」

「えええええええ!!」

誠実そうに見えた『灼熱の戦乙女』であるが、結構したたかだった……。


『灼熱の戦乙女』が自分達のことを教えてくれた後、私の状況を説明した。

勿論、対外用の説明を……。

それを正確に説明しておかなければ、護衛者がリスクの見積もりを誤って、判断をミスる確率が跳ね上がるからである。また、依頼の危険度を正確に伝えずに契約するのは、悪質な違反行為である。

私が、私財で慈善活動をしている、神殿勢力には所属していない、何の後ろ盾もない流しの野良巫女であること。

なぜか女神の祝福らしきものがあり、必死に祈ると、二流の医師か薬師に診てもらったくらいの、ショボい治癒効果があること。

そして、その『女神の祝福』という名を利用しようとしているらしき連中に襲われ、この町に所属するハンターと商人に偶然助けられたこと等を説明すると……。

「そのお話なら、私達も耳にしましたわよ。そのハンター達が、聖女様をお救いしたと、得意満面で話していましたからね。

……しかし、『流しの野良巫女（みこ）』って……」

リーダーのイシュリスさんに呆（あき）れられたけれど、自分で巫女とか聖女とか名乗るのは恥ずかしいんだよ！

だから、そんなに卑下した感じではなく、冗談半分でそう名乗っているんだ。語呂もいいし……。

カッコいいじゃん、『野良巫女ロック』とかさ……。

しかし、この説明を聞いて受注をやめても構わない、と言った私に対して、『灼熱の戦乙女』のメンバー全員がそれを一笑に付した。

襲われる確率が高いからといって護衛依頼を受注しないなら、護衛という職が存在する意味がない、と言って。

そして、理由もなく報酬が良すぎるのは怪しくて不安だけど、そういう理由があるなら、納得して、安心して護衛できるから良かった、と……。

おまけに、聖女様をお護りできるとは何たる栄誉、と言われたが、それはあくまでも冗談半分のようであった。

おそらく、『女神の祝福』とかいうのを信じてはいないのだろう。

私が嘘（うそ）を吐（つ）いている、とかではなく、宗教的な思い込みやプラシーボ効果とかの類（たぐ）いだとでも思っているのかな……。

その証拠に、ならば無料でお護りいたします、などという言葉はひと言も出ず、依頼中の食費やら、依頼内容の想定を超えた活躍をした場合の報奨金やら、護衛中に倒した魔物の売却権利、倒した賊の装備や巾着袋の中身の権利やら、捕らえて犯罪奴隷にした場合の売却金の分け前やらと、やけに細かく交渉された。

おそらく、女性ばかりだと侮（あなど）られて、色々と苦労したのであろう……。

そう思い、ほぼ向こうの言い分通りにしてあげた。

私としては、今回は損得は全く考えておらず、守秘義務さえ確実に守ってもらえれば、それで良かったんだよね。

『灼熱の戦乙女』は、その点に関しては信用できそうなパーティであった。

そして、あの兵士4人組、今度ちょっかいを出してきたら、見逃してはもらえそうにない。

何しろ、官憲に引き渡せば、このハンター達に大金をもたらすのだ。

……逃がすわけがない。

＊　＊

そして『灼熱の戦乙女』と契約することが決定し、更に細かい契約内容を詰めた後、受付嬢に報告。正式な文書を交わし、ギルドに依頼料を預託した。

これで、仕事が終われば、私が依頼終了の書類にサインし、『灼熱の戦乙女』はギルドで依頼料を受け取れる。

私が支払いをせず踏み倒すことも、『灼熱の戦乙女』が仕事をせずにお金を持ち逃げすることもできないというわけだ。

そしてギルドは、キッチリと2割の手数料を取る。

……まぁ、当たり前だよねぇ。ギルドも、慈善事業じゃないんだから……。

そして、この2割はただの手数料ではなく、ハンターへの支援や、互助会的な目的にも使われるらしい。

ハンターは、個人としてはお金も身分も権力も後ろ盾もない無力な人間だから、ギルドが色々と支援し助けてくれるなら2割の手数料は惜しくはないのだろう。

……いや、実際には、みんな不満たらたらで文句を言っているらしいけどね……。

そして、その後……。

「じゃあ、このままみんなで商業ギルドへ行きます。それが終われば、宿へ。

契約通り、宿代は私持ちです」

護衛が別の宿じゃ、意味がない。

「「「「はいっ！」」」」

うん、いい返事だ。

どうやら、私はいい雇い主らしい。

まぁ、こういう部分に使うお金はケチらないからね。

世の中、予算を削ってもいいところと、駄目なところがあるんだよ。

……そしてここは、絶対に削っちゃ駄目なところだ。

＊　＊

「すみません、買い取りをお願いしたいのですが……」

……目立っている。

商業ギルドの受付窓口でそう尋ねた私は、すごく目立っていた。

いや、別に私がすごく可愛いから、とかいうわけじゃない。

12～13歳くらいに見える巫女服の少女が、女性ばかりのハンターパーティを引き連れて商業ギルドのカウンターに来れば、そりゃまぁ、目立つだろう。

……それはいい。別に構わない。

だって、今日はもっと目立つために来たのだから。

「あ、はい、どのようなお品でしょうか？」

うん、巫女服の小娘とはいえ、清潔そうな身なりをしていて、5人もの護衛を引き連れているんだ、邪険に扱われるわけがない。貴族や金持ちの娘が巫女になることも、ないわけじゃないからね。

……但し、その場合は野良巫女ではなく、神殿付きになるだろうけど……。

そして私は大勢の護衛を引き連れており、ポシェットを身に着けているだけで、手には何も持っていない。

護衛のハンター達も、ハンターとしての武器や装備品以外は何も持っていない。

ということは、売り物はポシェットに入るサイズで、……おそらくは高価な物。

……なので、受付嬢は小さな声で私にそう尋ねた。

うん、子供が高価なものや大金を持っているということを大声で喋る受付嬢はいないよね。

商業ギルドには、ハンターギルドのように粗暴な連中がたむろしているわけじゃないけれど、もっとタチが悪い連中がいるのだから。

……頭が回る、金の亡者達がね。

ハンターギルドにいる悪党は、私が今持っているものを奪おうとする。

でも、商業ギルドにいる悪党は、私が持っている金目のものの出所を押さえ、その流通ルートを奪おうとする。合法、非合法、いずれかの手段で。

……まあ、その後者を防ぐための護衛なんだけどね。

そういうわけでの受付嬢の配慮なのだろうけど……。

「宝石をいくつか、売ろうと思いまして！」

　大声でそう答え、受付嬢のせっかくの配慮を台無しにした。

　いや、だって、手っ取り早く私の名を売って、ここの連中に『絶対に守らなければならない、大事な金蔓』だと思ってもらわなきゃならないから……。

　私が大きな声で答えるとは思ってもいなかったらしい受付嬢は、予想外のことに、あわあわとして……。

　ガツッ！

「ぎゃっ！」

　ハンターギルドで見たような光景が繰り返された。

　どうやら、先輩が後輩を指導するこのやり方は、このあたりでは普通のことらしい。

　下っ端は、辛いねぇ……。

「しっ、失礼致しました！　こ、こちらへどうぞ！」

　どうやら、個室へ通されるらしい。

　……そりゃそうか。

　受付嬢が席を立つと、後ろの方で事務仕事をしていた女性がさっと立ち上がり、空いた受付席に座った。ちゃんとそういう手順が確立されているのだろう。

　どうやら、客を担当部署に引き渡すのではなく、最初に対応した者がそのまま接客を続けるというシステムらしい。

　確かに、その方が引き継ぎの手間や伝達ミスとかがないし、客の方も相手がコロコロと替わるよりはやりやすいだろう。

と、まぁ、そういうわけで、ぞろぞろと個室へと移動する、受付嬢と私達。

そしてその一行に突き刺さる、他のギルド職員や居合わせた商人達の視線。

よしよし、計画通り……。

＊　＊

「……では、お売りくださる商品を確認させていただきます」

いつの間に連絡が行ったのか、個室には私達と受付嬢の他に、中年のおっさんがひとりやって来た。

……そりゃそうか。

若い受付嬢に、宝石の鑑定とかはできないよね。

専門の鑑定士が呼ばれるに決まってるよ。

では……。

「これなんですけど……」

ポシェットから取り出した、小さなジュエリーケースを差し出して、パカッとフタをあけた。

その中に並べられた、3個のやや小粒の宝石を見て、おや、というような顔をした鑑定士さん。

「拝見させていただきます」

そして白い手袋を嵌めた手で私からケースごと受け取り、鑑定用のルーペでじっくりと眺める。

「…………」

そして、入念に宝石を調べた後……。

「う〜む、全部で金貨9枚……、いえ、初めてのお客様ですから、もう少し勉強させていただきまして、金貨9枚と小金貨6枚で……」

ふむ、1個あたり金貨3枚と小金貨2枚、日本円だと32万円相当か。

護衛料は既にハンターギルドに預託済みだから、これだけあれば、手持ちの現金と合わせて、全員分の10日間の食費と宿代には充分だ。

……しかし……。

「お邪魔しました。どうやら、御縁がなかったようで……。では、ごきげんよう……」

私はジュエリーケースを取り返し、フタを閉じると、そのまま椅子から立ち上がった。

そして右手を腰の辺りに当てて手の平だけを軽く振る、あの『お嬢様の挨拶』をやりながら、にこやかにそう告げた。

「じゃ、行きますよ、皆さん。換金は、次の町でします。客を騙して常識外れの安値で買い叩こうとする悪徳ギルドではなく、まともなところで……」

この町での買い取り相場に驚いたことを、しっかりとお話ししながらね……」

「「「「了解です！」」」」

うん、馬鹿じゃないんだから、相場くらいは調べてあるよ。

そして、この宝石はやや小さいけれど、傷ひとつなく、そしてカットと研磨の技術はここの技術水準を超えたシロモノだからねぇ……。

勿論、恭ちゃんの母艦の艦内工場製、人造宝石だ。

セレス達の倫理基準では、お金や有価証券とかの他者の信用を基としたものや、美術品とかの創作物を勝手に複製するのは完全にアウトだけど、宝石や貴金属とかの『ただの物質』を作るのは問題ないらしいのだ。

こういう場合も想定して、『灼熱の戦乙女』には、事前に私への対応に応じた行動を何パターンか指示してあるため、戸惑うことなく迅速に動いてくれた。如何にも『こういうことには慣れています』といった感じで……。

「……え？　あ、いや、その、ちょ、ちょっと待って……」

慌てる鑑定士を無視して、さっさと個室から出た。

受付嬢は、いつの間にかいなくなっている。

そして……。

「あ～、客を舐めて、相場の１割くらいの買い取り価格を提示されちゃったよ！　この町では、何も売らない方が良さそうだよね！」

「そうですわね。お隣の領主様なら、自領で商業ギルドがこのような悪質なことをするなど決してお許しになりませんから、お隣の領地でお売りになった方がよろしいですわよ」

ギルド内を、イシュリスさんと大きな声でそう話しながら歩き、出入り口へと向かった。

そして、それを聞いてギョッとした顔をするギルド職員や、居合わせた商店の者達。

未成年の子供巫女と、おそらくこの町ではそこそこの知名度と信用があるであろう、女性のみの真面目な中堅パーティ。

共に、理由もなく他者を貶めるような嘘を吐くような者とは思えないし、また、人前でそんな嘘を吐く理由もない。

ならば……。

うん、職員も商店の者達も、ざわざわとしているな。

よし、ここで……、

「聖女様ではありませんか！　どうなされたのですか？」

「あ、商人さん……」

兵士に殺されそうになった私を助けて、わざわざ引き返してこの町まで護衛に付き合ってくれた、あの商人さんだ。

よし、予定変更！

「……いえ、活動資金の補充をしようと思い、宝石をいくつか換金しようとしたのですが……。なぜか相場の１割程度で買い取ろうとされてしまいまして……」

うん、正直に状況を説明した。

当初の計画より、商人さんに話を合わせた方が良さそうだ。

「なっ……。聖女様を騙し、搾取しようなどと！　しかも、孤児院を支援なさるために私財を売り払い資金を作ろうとされている、浄財を……。

すみません、その宝石を、少し見せていただけますか？」

「あ、はい、どうぞ……」

ポシェットからジュエリーケースを取り出して商人さんに手渡すと、ポケットからルーペを出して、立ったままでそれを鑑定する商人さん。

そして……。

「これを、いくらで買うと言われました？　査定額は……」

「金貨９枚と小金貨６枚です」

「なっ……。

おい、ギルドマスターを呼べ！　査定したヤツは誰だ‼」

更にざわつきが大きくなる、ギルド内。


「……その必要はない」

あ、ここでその台詞を言うということは、この人がここのギルマスか……。

「話は聞いた。皆、会議室に来てくれ。査定した鑑定士のディールを連れて来い！」

まぁ、そうなるか……。

そしてギルマス（多分）の後ろには、さっきの受付嬢がいる。

いつの間にか姿が消えたと思っていたけれど、ギルドマスターを呼びに行ってくれていたのか。

……逃げたとか思っていて、ごめん……。

＊　　＊

「……で、これはどういうことですかな？　聖女様が慈善活動に使うために換金されようとした宝石を、相場の１割と査定して買い叩こうとした恥知らずにして神敵、女神に仇なす邪教組織のボス様？」

「なっ……」

酷え。

こんなことを言われては、女神が実在する世界の者にとっては、耐えられないだろう。

会議室で皆が席に着いて、最初に放たれた商人さんの言葉に、ギルドマスターの顔が引き攣っている。

「……待て！　待て待て待て待て待てぇっ!!

どうしてそんな話になる？　うちが一体何をした？」

「聖女様を謀り、浄財となるべきお金を騙し取り、孤児達を救うべき慈善活動を妨害しようとした、というところですわね。

……万死に値しますわ」

「えええええええええ〜〜っっ!!」

……よし、イシュリスさん、いい仕事をしてくれる！

やはり、『灼熱の戦乙女』は、当たりだったなぁ……。

会議室でいきなり放たれた商人さんとイシュリスさんからの攻撃に狼狽えるギルドマスターに、私から改めて状況を説明した。

会議室にいるメンバーは、私、『灼熱の戦乙女』、商人さん、商業ギルドのギルマスと副ギルマス、鑑定士、そして受付嬢。

受付嬢が、ギルマス達を連れてくる時に簡単な説明をしてくれたみたいだけど、勿論、それはごく一部のことだけだ。受付嬢には宝石の本当の価値は分からないし、私がその代金を何に使うつもりなのかも知らないのだから。

状況だけから見れば、私がクズ宝石を高値で売るためにクレームを付けている、という見方もできるのだから、変な憶測で説明するわけにもいかなかっただろうし、その時間もなかっただろう。

「……そういうわけで、相場の1割の価格で買い叩かれるのは嫌だから、ここで売るのはやめました。当たり前ですよね。

まぁ、商売人は安く買い入れて高く売る、というのが仕事なので、別に文句を言うつもりはありませんよ。ただ、それを商業ギルドがやるというのは、ちょっとねぇ……。

なので、他の町で売る時に、『あの町の商業ギルドは、そういうやり方をしています。皆さん、注意してくださいね』と忠告したりはしますけどね」

「なっ！　……おい、これはいったいどういうことだ、ディール！」

ギルドマスターに睨み付けられ狼狽える、ディールという名前らしい鑑定士。

「い、いや、それは……。私は、そんなつもりでは……」

「確かに、鑑定した後、『金貨9枚と小金貨6枚』と言われました。もしそれが異常な安値だったとすれば、それはディールさんがこの方を騙そうとしたか、宝石をきちんと鑑定する能力がないかの、どちらかです。

……そしてディールさんがその利益をギルドにもたらすお積もりだったのか、それともその代金を自分が払い、宝石を自分のものにするお積もりだったのかは、定かではありませんが……」

おお、受付嬢さん、鑑定士を庇うのではなく、バッサリと斬り捨てた！

商業ギルドの矜持を汚し名誉を傷つけた者には、容赦なしか……。

「な、何を……。いや、違う、違います！　そのようなことは決して!!」

「なら、どういうことだ？　きちんと説明してもらおう。

商業ギルドは、一般の商店ではない。加盟店や客を騙して利益を上げるのではなく、各商店や客の間を取り持つ、公共的な役割を持つ組織なのだぞ。

買い取りや販売もするが、それはあくまでも皆の利便性を考えてのサービスであり、大儲けをするためのものではない。

商業ギルドの運営費の中心は、加盟店からの会費だ。それくらい、新人教育の初日に教えられただろうが！

もし故意に常識外れの安値で買い叩こうとしたならば、ギルドの職員規程違反だ。しかも、孤児救済のための浄財を掠め取ろうなどと……。

商業ギルドの名と信用を貶め、女神に仇成す行為。軽い処分で済むとは思うなよ……。

……で、どっちなのだ。故意なのか、鑑定ミスなのか？」

「も、勿論、鑑定ミスです！　あの宝石３個の価値は、金貨92枚が適正価格で……」

あ〜、やっちゃった……。

それは、明らかに罠だって……。見え見えじゃん……。

ほら、ギルドマスターが商人さんの方をチラリと見たよ。

「おや？　どうして再鑑定もせずに、そのような正確な査定を？　ディールさんは、その宝石を鑑定して、金貨９枚と小金貨６枚という査定額を出されたのですよね？　再度現物を確認することなく、どうやってその額を出されたのですかな？　先程鑑定された時に得た情報だけを元にして？」

「うっ……」

ほらぁ、商人さんに突っ込まれたよ。ギルドマスターの視線指示で……。

「ちなみに、私の鑑定では金貨93枚前後ですな。今のディールさんの査定額は、ギルドの買い取り価格は一般商店よりやや下がることを考慮しますと、ほぼ正確と言えますな……」

「「…………」」

商人さんの駄目押しの言葉に、黙り込む鑑定士とギルドマスター。

そして……。

「どうなのだ、ディール？」

「はっ、はい！　鑑定ミスです!!」

「そうか……。証拠もないのに、故意に低い価格に査定した、と罪に問うわけにはいかんな……。

では、ディール自身の主張を信じるしかないか……」

ギルドマスターの言葉に、ほっとした様子の鑑定士。

あ～、終わったな、この鑑定士……。

「では、ディールは解雇だな」

「えええええっ！」

ほらぁ……。

「ど、どうして……」

ただのミスだと言い張って、それが認められたので罪を免れたと思っていたのに、解雇の宣告。

驚くのも無理はないけれど、今、この部屋でギルドマスターの言葉に驚いているのは、鑑定士だけなんだよね。

「いや、どうしても何も、鑑定が本職ではない商人がひと目で分かる簡単な宝石鑑定をミスる専門の鑑定士なんか、信用が何より大切な商業ギルドで雇っておけるわけがないだろうが……。

個人的な小遣い稼ぎではなく、ギルドの収入を少しでも多くしようとして魔が差したというならば、それなりの処罰で済ませるという方法もあったのだが……。

鑑定士としての能力が著しく劣っていて、その鑑定結果が全く当てにならないというならば、商業ギルドで雇っていられるわけがないだろう」

「あ……」

うん、ギルドマスターは、勿論全部分かっていてやっている。

鑑定士が嘘を吐いていることを承知で、『嘘を吐かず、正直に話していればクビにならなかったのにね。ざ～んね～ん！』って言って、苛めているだけだ。

勿論、『ギルドの利益のために』なんて言っても、その時には別の理由で解雇を宣告したはずだ。

コイツが自分のポケットに入れるために誤魔化そうとしたことなんて、みんなが知っている。

どういう答えを返そうが、商業ギルドの誇りを汚し、その信用を地に落とした者にはバッドエンド以外のルートはない、ということだ。

ただ、本人に、これから先ずっと『助かる方法があったのに、選択を誤って台無しにした』という後悔を続けさせるためにやっただけの、小芝居だ。

……性格、悪っ！

でも、まあ、商店ではなくギルドの職員として働いているとはいえ、ここは商業ギルドだ。なので、ここでは商人の価値観、商人の倫理観が適用されるのだろう。

そしてまともな商売人にとって、信用はお金より大事なものだ。それを、自分自身だけであればともかく、この商業ギルド支部全体の、いや、全国の商業ギルド全ての信用を落とした者に対して、甘い顔をするギルド職員はいないだろう。……勿論、ギルドマスターも含めて……。

できる限り叩きのめし、他の職員への見せしめにする。

……当然のことだ。

「鑑定士、ディール。ただ今をもって、解雇とする。このまま、真っ直ぐにギルドの建物から退去しろ。もう、職員専用区画に立ち入ることは許さん。

仕事机やロッカーにある私物は、後で自宅へ届けさせる。もう、お前には机もロッカーも触れさせない。

……さぁ、行け！

あ、勿論、お前がもし我がギルド支部から何か、を借りてい、る、ということが判明した場合には、すぐに返してもらうことになるから、その用意をしておくようにな」

「…………」

まぁ、あの手慣れた様子だと、初犯じゃないよね～。

世間知らずの者や、商業ギルドに睨まれるのを恐れる者とかから思い切り買い叩いていたんだろうね、今までに、何度も。

現物はとっくに売り払っているだろうし、そんなのの証拠を職場に残したりはしていないだろうけど、まぁ、絶対にバレないと過信してポカをやらかしていたり、暗号で金額をメモしていたりするかもしれない。確率がゼロでないなら、そりゃ調べるよね、駄目元で……。

そして、鑑定士は肩を落として会議室から出て行った。

おかしなことをしないようにと、副ギルマスが付き添って……。

と、まぁ、これにて一件落着だ。

「では、私達は、これで……」

「あ、いや、お待ちください！」

ありゃ、私に対して、敬語だよ、ギルドマスター。

あ、でも、私は別にギルド関係者というわけじゃないから、お店側の人が客に対して話し掛けるなら、それで別におかしくはないのか……。

「大変失礼致しました！　お詫びに、お売りになる宝石を他の者に鑑定させまして、その査定額の3パーセント増しで購入させていただきます」

「え……」

どうしようかな……。

さっきの商人さんの査定額と、あの鑑定士の訂正査定額を聞いているから、ここでそれから大きく外れた額を提示されるとは思えない。

そして、金額が大きいから、3パーセントといっても馬鹿にならない。

なので、ここは……。

「いえ、結構です」

「え……」

「そして、商人さん。この宝石3つ、金貨90枚でお買いになりませんか？」

「「えええええええっ‼」」

　ギルドマスターが提示した、お詫びの割増し価格どころか、一般商店が購入するであろう額、先程商人さんが鑑定し提示した金額より、更に低い金額での買い取りを打診するなど、商人さんにとっては理解できない行為だろう。しかし……。

「商人さんには、助けていただきましたからね。信用できない組織に売るより、商人さんに買っていただいて利益を出してもらった方が、そのお金が世の中のために使われそうな気がしますので……」

　そう。お金を渡すなら、悪党にではなく善人に渡した方が人々の役に立つだろう。

　それが直接渡すのではなく、『商売における利益』という形であっても……。

「そ、それは……、私共としましては、喜んで買い取らせていただくお値段ですが、その……」

　そう言って、ちらりとギルドマスターの方に視線を遣る、商人さん。

　そりゃ、気を遣うか。商業ギルドとしては、面子丸潰れだもんねぇ。

「いえ、別に私は、一番高く買ってもらえるところに売りたいわけではないのです。

　女神のしもべである巫女のひとりとして、私との取引で得られる利益は、同じく敬虔なる女神のしもべである、心正しき者の手に渡ることが望ましいですから……。

　そうすれば、私がお売りした宝石による利益もまた、次の心正しき人へと渡り、その一部が善き使い方をされ、善意の輪が広がってゆくことでしょう。

　少なくともそれは、悪人の手に渡り、浪費や贅沢、次の悪事のための資金として使われたりするよりは、遥かに善きことですからね」

「……お、おお！　そういうことであれば、喜んで！」

うん、こう言われて、断る商人はいないだろう。

特に、大きな利益が出ることが確実な取引であれば。

まるでギルドが悪人かのように言われた上、ほんの少しイロを付けた価格で買い取ることによって、それを私に対する謝罪の代わりとして今回の件を『終わったこと』にしたかったギルドマスターは渋い顔をしているけれど、文句は言えないだろう。事実、ギルド職員であったあの鑑定士は『悪人』だったわけだから……。

それに、あの提示価格で買い取っても、別にギルドが赤字になって損をするというわけじゃない。

利益が少し減るだけであって、しっかりと儲けは出るのだ。

……そんなことで、謝罪代わりになんか、させてやるものか。

「では、お話の続きは、商人さんのお店で……」

うん、私と商人さんの取引内容や以後の相談を、わざわざ商業ギルドの者達に聞かせてやる必要はない。

なので、さっさと会議室から引き揚げる、私達。

そして、出入り口に向かってギルド内を通過しながら……。

「では、商業ギルドより信用できる商人さんには、以後も引き続き、ギルドの買い取り価格より安くお譲りしますね！」

大きな声でそう言った私に、商人さんは少し、……ほんの少し驚いた顔をした後……。

「それはありがたいですね！　引き続き、よろしくお願いいたします。はっはっは！」

……うん、上手く調子を合わせてくれた。

勿論、普通であればそんなことを大声で言うものじゃない。特に、大勢の商人がいるところでは。

なので、私が何らかの思惑があって、わざと言ったであろうことを瞬時に理解し、自分にとっては不利な情報公開であるにも拘(かかわ)らず、乗ってくれたというわけだ。

……さすが、デキる商人は、違うねぇ……。

これで、私が多少の売り値の違いより信用を重視すること、ギルドマスターの歓心を得ることよりも信用できる商人との取引を優先すること、そしてまだまだ売り物となる商品をたくさん持っているということが知れ渡ったわけだ。

そして、いくら神殿には所属していない野良だとはいえ、聖職者である巫女は、一応は丁重に扱われる。

一応、というのは、勿論、貴族や金持ちの多くは自分の方が聖職者などより偉いと思っているし、盗賊の中には平気で巫女を襲う者もいるからだ。

……勿論、貴族や金持ち、盗賊やチンピラ達の中にも、巫女には決して手出しせず、逆に困っている巫女を見つければ助けてくれることも、そう少ないわけじゃないらしい。

何せここは、『女神が実在する世界』なのだから……。

そしてそれは、今、商業ギルドにいる商人達も、同じだということだ。

私財を投げ打ち慈善活動を続ける、未成年の子供巫女。

高価な宝石を、それと承知で商業ギルドの買い取り価格より安く売ってくれる、カモネギ。

そしておそらく、実家が超太い。

これだけ条件が揃（そろ）えば、もし何かあった場合、商人達は私の味方になってくれるに違いない。

……主に、私に恩を売って取り入るために。

代わりにギルドマスターを始めとするギルド職員とは少し縁が遠のくけれど、ギルド職員はただの雇われ人に過ぎない。私の味方をしたからといって、別に給料が増えるわけじゃないから、自分が危険を冒してまで味方をしてくれることはないだろう。

そして逆にそれは、ギルドが私から儲け損なったとしても、職員個人としては別に何も気にしない、ってことだ。

ただの従業員、勤め人に過ぎないのだから。

正義感の強い者なら、『困っている子供巫女を助ける』、という意味では、助力してくれる者もいるだろうけどね。

まぁ、ギルドマスターあたりは、『顔を潰された』とかで多少不愉快に思うかもしれないけれど、そうなった原因は職員の不正行為なのだから、上司の監督不行き届きで、自分のせいだ。

なので、せいぜいがぶつぶつと愚痴を溢（こぼ）すくらいで、嫌がらせをすることもないだろう。

そんなことをすれば、恥の上塗り。職員や商人達からの信用を失うだけだ。

ギルドマスターも、馬鹿じゃないのだ。そんな愚かな真似はするまい。

……同じギルドマスターでも、ハンターギルドとかだと、そういう馬鹿もいるかもしれないけれどね。

でも、デキる商人は、仕事と自分の個人的感情を混同したりはしない。

それは、三流以下の者がやることだ。

そういうわけで、商業ギルドは所掌業務以外のことに関しては毒にも薬にもならないけれど、商店の経営者となれば、金蔓との繋(つな)がりやコネのためなら、あまり自分が大きなリスクを負わない範囲であれば色々とやってくれるだろう。……今までの経験によると。

うん、リスクアンドリターンが読めないようじゃあ、一流の商人にはなれないよね。

*　*

そして、やってきました、商人さんのお店！

……の、商談室。

小さなブースとかではなく、ちゃんとした応接室だ。

出されたお茶と茶菓子も、かなりいいやつだ。

……上客扱いかな。

さすがに、護衛である『灼熱の戦乙女』のみんなには、何も出されない。

……というか、相手側に出された飲食物を口にする護衛なんかいないか。

もし何か盛られて護衛対象を殺されたりすれば、その場を生き延びられたとしても、二度と彼女達を護衛に雇う者は現れないだろうからね。

私も雇わないよ、そんな間抜けで信用できない護衛なんか。

「では、先程のお話通り、金貨90枚でお買い上げいただけますか？」

「はい、当方といたしましては、願ってもないことですが……、本当によろしいので？

ギルドの買い取り価格は、商人ではない者が騙されることなくすぐに売却できるという利点がある反面、商人との間に挟まる以上、利益を上乗せする必要があるため、まともな商人ときちんとした商談をする場合に較べるとかなり低価格になります。それより安く、となりますと、私共としましては、些か心苦しく……。

それも、慈善活動にお使いになる資金となりますと……」

いや、そんなことは最初から分かってる。

「いえ、その『まともな商人』を探し当て、『きちんとした商談ができる』という難関に今から挑むくらいなら、商人さんに買っていただいた方が、ずっと安全で楽ちんですよ。そのためならば、売り値が数パーセント下がるくらい、大したことじゃありませんから。

それくらい、売り物の質を少し上げるか、数をひとつ増やせば済むことですよ」

「…………」

ありゃ、商人さん、言葉に詰まってるぞ。

まぁ、今の私の台詞は、私が個数なんか気にしないくらいたくさんの宝石を持っている、と受け取られてもおかしくないような言い方だったからなぁ……。

　あ、売るのは別に宝石だけに限る必要はないか。


「……巫女様、ひとつお願いがあるのですが……」

　おや、商人さんからの、改まった顔での真剣なお願いと？

　おかしなことを言い出すような人だとは思わないけれど、ちょっとお金持ちアピールが強すぎたかなぁ。

　一体、何を言い出すのだろうか……。

「あの、お願いですから、そろそろ私の名前を覚えて、『商人さん』という呼び方をやめていただきたいのですが……」

「あ……」

　うん、そりゃ、私が悪かった。

　私って、以後も付き合いが続くと決定した人以外の、今回限りとか一時的な接触に過ぎない相手のことは、『商人さん』とか、『警備兵さん』とかいう認識であって、あんまり名前を覚えないんだよねぇ……。

　相手にとっては、そりゃ面白くないだろう。

　いや、ゴメン。

そういうわけで、商業ギルドで見せた3個のやや小粒の宝石については、簡単に話がついた。

……しかし、それだけで終わらせるのは、ちょっと勿体ないかな。

この商人さん……、いやいや、オーリス商会のダルセンさんは、そこそこの規模の商会主だし、信用できそうな人だ。

そして何より、女神セレスティーヌを信仰する敬虔な信徒らしく、巫女である私を騙したり裏切ったりすることは絶対になさそうなのだ。

なので、私を狙っているあの連中からの防壁としての、恰好の協力者になり得る人材だ。

しかも、私の現状については既に知っているし、私を護るために商売的な損失を覚悟で街に引き返すという行動を示してくれている。

ならば、更に『私との繋がりがあれば、損をしない』ということを示せば、積極的に味方をしてくれるだろう。

それに、私達が王都へ進出する時にも、色々と役に立ってくれるかもしれない。

商人の味方は、多いに越したことはない。

なので……。

「あの～、こういう物は売れるでしょうか？」

そう言って、私がポシェットから取り出し、手の平にのせてダルセンさんに差し出したのは……。

「え？　こ、これは……」

稀少なピンクダイヤモンドの中でも特に強く赤味が出て、色味が鮮やかで透明度の高い、自然でクリアな赤色をしたダイヤモンド……、そう、レッドダイヤモンドである。

ダイヤモンド1万個の中にひとつあるかどうかというカラーダイヤモンド。そのカラーダイヤモンド1万個にひとつと言われている、レッドダイヤモンド。

地球には数十個しかないと言われており、一般市場に出回ることなど、まずない。

しかし、ひとつ、心配なことがある。

あれだけ世界中の鉱山で採掘されまくっている地球で、数十個なのだ。それも、9割近くは同じ鉱山で採掘されたという。

碌な調査もされておらず、採掘技術も稚拙なこの世界で、果たしていくつのレッドダイヤモンドが発見されているのか。

また、こんな世界では、遠い国で発見されたものの情報なんか、伝わってこないかも。

その場合、レッドダイヤモンドのことが全く知られておらず、ダイヤモンドだと認めてもらえないという可能性があるんだよねぇ。

ダイヤモンドも、地球では研磨技術が発見されるまではルビーやエメラルドの8分の1以下の価値しかなかったし、プラチナも、融点が高くて当時の技術ではなかなか融かすことができなかったために偽銀、クズ銀とか呼ばれて、ゴミとして捨てられていたらしいし……。

そう。いくら地球では価値が高くても、ここでその価値が認められていなければ、何の意味もない。子供のオモチャであるガラス玉と同じだ。

「こ、こここ、こっ、こっ、こここっ……」

ありゃ、ダルセンさんが、鶏に……。

「こっ、こっ、これはっ、……かっ、紅玉（カーバンクル）ダイヤ‼」

ありゃ、この辺りでも知られていたか。

そして、ここではそういう名称なのか……。

まぁ、地球では『紅玉』はルビーを指すことが多いけれど、ザクロ石（ガーネット）や、単に赤い宝石全般を指すこともあるから、こういう呼ばれ方をしても不思議じゃないか……。

というか、『レッドダイヤ』よりカッコいいじゃん、『カーバンクルダイヤ』の方が！

……で、問題は、金銭的価値なんだけど……、まぁ、ダルセンさんのこの様子から考えて、安くはないな、絶対に。価値さえあれば、希少性ではダントツだもん……。

でも、これは『ポーションの容器の、飾りの部分』に嵌まってたやつだ。

だから、創ろうと思えば、いくらでも創れるんだけどね。

……しかし、何だかダルセンさんの様子がおかしすぎるなぁ。

これは、アレ、『私、また何かやっちゃいましたか？』ってやつかな？

でも、自分で出しておいて何だけど、こりゃちょっとマズそうだなぁ。

世の中、『越えちゃいけない線（ライン）』というものがある。

そしてどうやら、この『紅玉（カーバンクル）ダイヤ』は、それを軽々と越えてしまっているみたいだ。

……これは、やめておこう。

そう思って、手の平の上の紅玉ダイヤをポシェットの中へ戻すと……。

「あああああああああっっ!!」

ダルセンさんが、悲痛な叫び声を上げた。

「これは、やめときます」

「そ、そそそ、そんなあぁ!!」

いや、そんな、絶望と縋るような目が交じった顔をされても……。

……って、泣いてる?　泣いてるのか、ダルセンさん?

まぁ、仕方ないか……。

ゴメン。

「じゃ、じゃあ、こういうのは……」

このままでは、ダルセンさんの愁嘆場が、いつまで経っても終わりそうにない。

なので、ダルセンさんを正気に戻すべく、ポシェットから別の商品を取り出した。

商人なんだ、商談となれば、正気を取り戻すだろう。

そして、その商品をゴトリとテーブルの上へ置いた。

すると……。

「こ、これは……」

ほら、一瞬で商人の顔付きに戻った。

「ガラスの置物です」

「…………」

そう、確かに『ガラスの置物』だけど、勿論、普通のやつじゃない。

昔、バルモア王国のマイヤール工房でお手伝いさんとして働いていた時に、図書館通い（有料。平民の小娘にとっては、かなり高かった）のための資金源にするために売っていた、あの、クリスタルガラス製のやつである。

非結晶体であるガラスのくせに結晶体である水晶（クリスタル）の名を名乗るという暴挙をしでかしているという、アレだ。ガラス原料に酸化鉛等を加えた、普通のガラスとは比較にならない透明度と輝きを有するやつ。まだ、このあたりでは考案されていないか、普及に至っていないもの。

「…………」

あれ？

ダルセンさんが、黙り込んでいる。

いや、それはまあいい。驚いたり、商人として頭の中で買い値やら利益率やらを高速計算しているなら、黙り込んでいるのも別に不思議じゃない。

でも、その視線が私やガラスの置物ではなく、私の腰のあたりにあるポシェットに向いているのは、如何（いかが）なものか。

先程、紅玉（カーバンクル）ダイヤを取り出し、そして再び入れたように見えた、ポシェット。

そして今、明らかにそれに入るはずのない大きさのガラスの置物が出てきた、ポシェット。

「あ…………」

やらかした。

ここは、あの台詞で誤魔化すしかない！

「あの～、私、また何かやっちゃいましたか？」

「……」

「…………」

「………………」

やらかした。

この後、まだ香辛料やナイフ、裸石(ルース)ではなく宝石がちゃんと枠や台座に付けられた宝飾品(ジュエリー)、恭ちゃんの母艦製の簡単な工業製品とかも見せようかと思っていたけど……、そんなの、小さなポシェットに入るか、ボケェ!!

……はぁはぁはぁ……。

ダルセンさんは、『多分、聞いちゃダメなんだろうな……』と思っているのか、私のポシェットをガン見しながらも、何も聞いてこない。

うむむむ……。

「み、みつかい……、いやいや、みっつがいい値で売れますように！　この宝石達が……」

ありゃ？　売り値の心配？　大丈夫、小粒だけど、モノはいいからね、その宝石。

ちゃんと少量の内包物やキズ、僅かな色の偏り（かたよ）とかも仕込んであるけれど、あくまでも天然物としては高級品の範疇（はんちゅう）だ。そして、カットと研磨の技術はピカイチだからね、心配ないよ。

じゃあ、あと、フォールディングナイフでも付けとくか。

ガーバー、ラブレス、バック、ランドール、Ｇサカイ、その他諸々のデザインを適当にパク……リスペクトしたヤツを……。

＊　＊

「「「「…………」」」」

ダルセンさんのお店を後にして、宿に向かっているんだけど……。

『灼熱の戦乙女』のみんなが、何も喋らない。

……居心地悪い……。

「あの……」

「ひゃ、ひゃい！」

しっかりしているはずの、リーダーのイシュリスさんも、何やら様子がおかしい。

あ、こりゃ、もしかすると……。

「見ィ～たァ～なアァ～……」

「「「「ひぃいいぃ!!」」」」

……駄目だ、こりゃ……。

＊　＊

食事は、宿で摂ることにした。

その方が護衛としては安心感が増すだろうし、移動中に襲われたり、おかしなのに絡まれる確率も大幅に低下する。

そして雇い主である私が許可すれば、あまり酔わない程度の飲酒も可能だ。

勿論、一度に呑むのは5人中2～3人だけで、全員というわけじゃないし、戦闘に大きな影響が出ない程度、という条件が付くが。

本命を除けば、宿の中で絡まれたり襲われたりする確率は、そう高くはないだろう。

あまり底辺層の者が泊まるような宿ではないし、外部の者にしても、わざわざ宿にいる時に襲ってくるとは思えない。

戦闘環境としても、目撃者や襲われた者に助太刀する者の存在にしても、他の場所で襲えばいいのにわざわざ宿にいる時に襲わねばならない理由がない。

そして本命にしても、あの兵士4人組が雇い主のところへ戻って報告し、次の手立てを考えて、人員を用意して移動、ということを考えると、早くて4～5日、遅ければ7～8日は掛かるだろう

から、まだ日数的に安全圏内だと思われるからだ。あと2～3日経てば、たとえ少量でも、飲酒なんか許可できなくなる。

まぁ、あの連中とは別件のトラブルが発生する可能性もゼロじゃないけれど、この規模の町で女性5人のパーティはかなり有名なはずだ。実力とは関係なく、その珍しさで。

ならば、そんなパーティが護衛に就いている者に手出しするようなチンピラや底辺ハンターはいないだろう。商業ギルドで私に目を付けたかもしれない悪徳商人も、また然り。

そういうわけで、何やら様子がおかしい『灼熱の戦乙女』のみんなを、少しお酒が呑めるところで食事させて（代金は、雇い主持ち）、リラックスさせて話を聞こうと思ったわけなんだけど……。

「「「「…………」」」」

……これだ。

テーブルの上の料理にも、全く手を付けていない。

「あの、いったい、どうしたと……」

「「「「御無礼つかまつりましたぁ～!!」」」」

あ～……。

小粒の宝石はともかく、紅玉（カーバンクル）ダイヤと、『そんなに入るはずのないポシェット』はマズかったか……。

私のことを、人々の救済のために地上に降り立った、現人神（あらひとがみ）とでも思っているのかな……。

このままだと、命を懸けて私を護ってくれそうだけど、それはちょっと居心地が悪い。

それに、変にピリピリして、私の後ろに立った人に殴り掛かったりと、過剰反応されても困る。

これは、誤解を解いておかないとマズいな……。

「あ、いや、この『不思議なポシェット』は、これを使って孤児達を救うようにと、女神様が……」

「「「「やっぱりイイイィ!!」」」」

「あ……」

失敗（シクっ）したあぁ～！

「いや、その、私はちょっとセレスにコネがあるだけの、ただの、普通の人間で……」

「「「「女神様にコネがあって略称で呼び捨てにするヤツが、ただの普通の人間であるものかああああ～～!!」」」」

イカン、どんどんドツボに嵌まってゆく……。

オマケに、他の客やウェイトレス達の視線ががが!!

＊　＊

「……そういうわけで、私はほんの少し祝福を賜っただけの、ただの野良巫女なのです……」

「「「「…………」」」」

何とか、カバーストーリーをでっち上げて、誤魔化した。

父親が裕福な商家の跡取りで、母親が貴族家の娘。

そして母親は巫女の血筋。

巫女と言っても、現代日本の『神職の補佐をする女性』のことではなく、昔の、シャーマンに近い役割の女性のことだ。

……卑弥呼タイプ、とでも言えば、分かりやすいか……。

「いくら下級貴族の傍系で平民とは言え、一応は貴族の血を引いていますからね。それで実家が金持ちで、僅かながらも女神の祝福を受けているとなると、まぁ、神官達が私を介して実家からお金を吸い上げようとしたり、家系に箔を付けたい有力商家や下級貴族に狙われたりと、碌なことがありません。

なので私は、神殿に所属することなく、野良巫女として活動しているというわけです。

腐敗神官の豪遊に使われる寄進ではなく、自分の手で、必要としているところに直接お金が渡るようにと……。

そしてこれが、母の家に代々伝えられていた、野良巫女活動をする時のためにと女神から賜ったという言い伝えの『天のポシェット』です！」

そう言って、ポシェットを掲げてみせる。

「「「「……………」」」」

いや、そろそろ納得してよ……。

＊　　＊

「……そういうわけで、昔、御使い様が持っておられたという、見た目より遥かに多くのものが入れられる『天のポシェット』がうちの先祖の手に渡ったらしいのです……」

「「「「…………」」」」

何とか、納得させた。

みんな、納得していない、というような顔をしているけれど、一応『納得した』ということになった。

世の中、『力業』というものが必要な時もあるのだ。うむ。

ちなみに、今の時代では、あの『カオル・ナガセ』は御使い、もしくは聖女だったということになっているらしい。

地球では、聖女は人間であり、御使いは人間ではなく天使を指す場合が多い。

しかしこの世界では、御使いは『女神が天界から遣わされた者』という、天使を指す場合と、女神が寵愛を与え神託を告げた人間を指す場合がある。

だから、宗派や書物によってバラバラで、御使い様だと書かれていたり、聖女、あるいは大聖女と書かれていたりするが、共に『カオル・ナガセは人間であった』ということだ。

その中で唯一、『カオル様は御使い様や聖女とかではなく、他の世界から来られた、セレスティーヌ様と同格の女神である』と主張しているのが、アレだ。

エミール達、『女神の眼』のメンバーが立ち上げた、『女神カオル真教』。

……まあ、信者数が少ない、弱小宗派だけどね。

ただ、その『数少ない信者』が、王族だったり、貴族だったり、海軍の上から下まで全部だったり、有力商家だったり、海軍以外の民間の船乗りや造船技師の大半だったりするため、なかなか宗派が途絶えそうにはないらしいのだ……。

あと、アリゴ帝国では、国を滅ぼしかけた悪魔だと言う者達と、侵略軍の被害を最小限に抑えた上、戦後の慈悲に満ちた復興援助から救国の女神扱いする者達とに、大きく二分されたらしい。

まあ、いくら西方の島のことを教えたり造船に協力したりしてあげたところで、あの戦いで父親や夫、そして息子を殺された者達にとっては、そりゃ、そんなヤツを崇める気持ちにはならないだろう。

とにかく、『女神カオル真教』の信者なんかいそうにないこの辺りの国では、『カオル』という名の、死後に聖女に列せられた少女は、女神セレスティーヌの寵愛を受けていただけの普通の人間であり、その責務を果たし殉教して、女神の御許に行ったことになっているのだ。

……そう。だから、この時代に聖女カオルが再臨するなどということは、この世界の者達にとっては想像の埒外（らちがい）というわけだ。

そして、残された書物の多くに書かれている、『聖女カオル様は、時々何もない空間から食べ物を取りだしてお食べになっていた』という記述。

……うん、その言い伝えからも、私（カオル）が魔法のバッグ、『天（あま）のポシェット』を女神から与えられていて、昇天する時にはそれを地上に残していった、ということには、何の矛盾もない。

そしてそれを、最後の務めを果たすべくブランコット王国へと出発する際に、巫女のひとりに託したのである！

それが、その巫女の家系に代々伝えられた。

……うむ、完璧の母!!

「勿論、このことは他言無用です。

『天のポシェット』は、巫女の素質がある者が、きちんと譲渡の儀式をして受け取らないとその能力を発揮せず、ただの中古のポシェットに過ぎなくなります。

つまり、盗んだり奪ったりしても、何の意味もないのです。

でも、それを知らない者にはとんでもないお宝に見えるでしょうし、知っている者は、私とセットで、とか考えるかもしれませんからね」

私の言葉に、こくこくと頷く『灼熱の戦乙女』の面々。

……うん、ポシェットのことを知った悪党なら誰でも考え付くことだから、説得力は充分だ。

これで、私は『女神の御寵愛をほんのちょっぴり受けただけで、実家に伝わる御神器を持っているだけの、どこにでもいる普通の少女』だ。

下手に私が女神の強力な加護を受けているなんて思われて、護衛任務で油断されちゃ大変だからね。

私は、心臓をひと突きとか、スティレットで延髄を刺されたり、首を斬り飛ばされたりすれば、即死だ。敵味方がはっきり分かれている戦場とかであればともかく、町中ですれ違いざまにとか、雑踏での奇襲とかには、ほぼ無力だ。

だから、『灼熱の戦乙女』のみんなには、私はただの無力な少女だという認識でいてもらわなきゃならない。

事実、ポーションと恭ちゃんからの借り物の装備を除けば、本当にそうなのだから。

近距離での奇襲には、反射的に武器を抜いて対処してくれる近接戦闘のプロか、もしくはその前に怪しい奴を識別して防護態勢に入ってくれる者が必要だ。

そのために、『灼熱の戦乙女』を雇ったのだからね。

あ、勿論、集ってくるチンピラや悪徳商人に対する『虫除け』の役目もあるけれど……。

実力はどうあれ、『護衛がついている』という事実だけで、雑魚に絡まれる確率は大幅に低下するからね。

何せ、護衛対象に危険が及ぶと判断したならば、護衛は何の躊躇もなく武器を振るい、敵を排除するだろうから……。

そんなつもりじゃなかった、ちょっとからかうだけのつもりだった、なんて言っても、通るはずがない。

首を飛ばされようが手首を斬り落とされようが、『少女を襲った強盗が、護衛に返り討ちにされた』というだけのことであり、それは相手が貴族であろうが有力商人であろうが、関係ない。

襲ってきたのが貴族や金持ちだったので、抵抗せずに依頼主を差し出しました、なんてことがあれば、ハンターギルドに護衛依頼を出す者なんか、誰もいなくなるだろうからね。

そういう場合にはハンターギルドが全力でバックアップしてくれるし、本気になったハンターギルドには、貴族や王族でさえも手出しを躊躇うらしいのだ。

……つまり、そういう場合に切られるのは、調子に乗って正規の依頼でハンターが護衛している対象に手出しした、馬鹿な木っ端貴族の方、ってわけだ。

うむ、安心して迎撃を任せられるな。

＊　＊

「……どうする？」

食事を終え、自分達の部屋……エディスの部屋の隣……で相談する、『灼熱の戦乙女』。

本当は、護衛対象と同室にするべきであるが、そこまですると息が詰まるからと、エディスが部屋は別にすると言って退かなかったのである。

まあ、防音性能が低い壁は隣室で大きな音がしたり大声を上げたりすれば丸聞こえであるし、いざという時には廊下経由でドアから突入するのに数秒しか掛からないので、大きな問題はない。

敵はエディスを殺したりはせずに捕らえようとするであろうし、ドアと窓には閂をかけた上で、内側に花瓶か壺でも置いておけば、声や物音を立てる暇もなく、ということはあり得ないであろう。

ならば、隣室であってもエディスの拉致を防ぐことは容易い。

何せ、ここは2階であり、出口はドアと小さな窓しかないのである。

そんな場所で、手足を振り回して必死で暴れ抵抗する少女を連れて、５人の護衛を振り切って逃げられる者など、そうそういるはずがない。

まあ、賊側が10人以上いれば何とかなるかもしれないが、そんな大人数で大騒ぎをして、野次馬や警備兵が駆けつけて来ないはずがない。

……なので、『灼熱の戦乙女』も、エディス（カオル）の要望を呑んだのであった。

「依頼人の秘密を守るのは、ハンターとしての絶対の義務だ。それに……、御使い様を裏切れば、どんな神罰が下るか、分かったもんじゃない！」

「「「だよね～！」」」

「……まぁ、元々そんな気は全くないがな。何しろ、私達は女神セレスティーヌ様の敬虔なるしもべだからな、うん！」

「「「そうそう!!」」」

リーダーであるイシュリスの言葉に、皆が不自然な、棒読みのような声で賛同した。

御使い様を天上から見守っておられる女神様が、盗聴……その偉大なるお力で、全てをお見通し……されている可能性がある。

そう考え、顔をやや上向き気味にして、殊更（ことさら）に大きな声でそう話す、『灼熱の戦乙女』の面々であった。

「……深く考える必要はない。

私達はただ、依頼主である、ごく普通の、ただの一般人である、エディス様をお守りし、仇（あだ）なす敵を成敗すれば良いだけのことだ。

……但し、今回は襲撃者を捕らえて犯罪奴隷としての売却益の半額を、ということは念頭に置かないこととする。

いくら余裕があろうと決して油断することなく、エディス様の安全を第一とし、エディス様の敵には、女神に代わって我らが神罰を代行する。たとえ、どんなことがあろうとも……。

……いいな？」

「「「おおっ‼」」」

狂信者、……そして狂戦士（バーサーカー）の誕生であった。


「念の為、安全策を講じておこう」

「……と言うと？」

リーダーであるイシュリスの言葉に、サブリーダー兼戦闘指揮官であるチェシアが尋ねた。

「私達が不覚を取って全滅したとしても、それは仕方ない。油断にせよ実力不足にせよ、それは自業自得だ。

……だが、それによってみつか……エディス様が敵の手に落ちるようなことがあってはならない。

だから、この町の全力を挙げて、エディス様をお守りするんだ。

商人のダルセン氏は勿論真実に気付いておられるだろうから、ひとくち噛（か）んでもらおう。

あとは、ハンターギルドと商業ギルドのギルマスを巻き込もう。

そしてギルマスを介して、両ギルドの者達と、できれば領主様にも話を通してもらいたいところだな……」

身内だけのため、対外用のお嬢様言葉ではなく、ハンター流の粗野な喋り方をしているイシュリスと、同じような言葉遣いのメンバー達。

「賛成です」

「私も、賛成です」

そして、全員がこくりと頷いた。

普通の依頼であれば、依頼料分の仕事はする。

しかしそれには、絶対に勝てるはずのない敵に向かって無謀に突っ込む、というような行為は含まれていない。

明らかに勝てそうにない大人数の盗賊には降伏するし、対処可能な数を超えた魔物の群れに襲われれば、荷馬車は放棄させて依頼主の商人だけを何とか守り抜くか、どうしようもない場合は、自分達の命を優先する。

たかだか1日当たり小金貨2～3枚の護衛料で、自分の命を捨ててまで依頼主に尽くしてやる義理はないし、それはハンターギルドでも認められている。

そう、『報酬分の働き』は求められるが、それ以上は、無理をすることはない。

勿論、依頼主を裏切るとか、最初から依頼主を護ろうともせずに自分達だけが逃げようとしたりするのは、論外である。

物事、それなりに守るべき基準というものがある。

……しかし、事が『女神様絡み』となると、話が違う。

人々をお救いくださる、慈愛と豊穣（ほうじょう）の女神、セレスティーヌ。

お怒りを買うと国レベルで壊滅させられる、少々短気な少女神。

その御寵愛を受けし御使い様……。

もし万一のことがあれば、この大陸が海に沈む。

いくら自分の命が大事でも、この大陸の生きとし生けるもの全ての命を犠牲にしてでも生き延びようとする程の勇者は、滅多に存在しないだろう。

……というか、大陸が海に沈めば、当然自分も生き残れない。

ならば、自分の命を惜しむことなく、その事態を避けなければならない。

そう考えるのが、当然であった。

たとえ、極悪人、凶悪犯罪者であろうとも。

……なにせ、ここは『女神が実在する世界』なのである。

なので当然、死後の世界の存在を疑う者はいないのであった。


「では、明日、ハンターギルドと商業ギルドのギルマスとダルセン氏に集まってもらい、私から話をする。

チェシア、悪いが朝２の鐘（午前９時）の後、エディス様の護衛から抜けて、その３人に話を通してくれ。

落ち合うのは昼1の鐘(午後0時)、場所は商業ギルドのギルマスの部屋だ。

話をする時に、『灼熱の戦乙女(わたしたち)』の名前で、『マルス1』を宣言してくれ」

「………………分かった」

『マルス1』というのは、ハンターがどうしても自分の話を信じてもらわねばならない時に宣言する、いくつかの『この話が本当であることを誓います。もし虚偽であったなら、如何なる罰を受けようと不服はありません』という意味の言葉のうち、最も上位のものである。

ハンターがこの宣言をした場合、それが如何に信じがたい突拍子(とっぴょうし)のない話であっても、とりあえずは真剣に聞き、確認をしてもらえる。魔物のスタンピードの兆候があるとか、悪魔が現れた、とかいうような話であっても。

……但し、もしそれが嘘であったなら……。

その者には、かなり過酷な未来が訪れることとなる。

なので、それはそう簡単に使えるような言葉ではなく、使う時には、自らの全てを懸け、そして最悪の事態を覚悟せねばならない。

しかし、『灼熱の戦乙女』のメンバー達は誰ひとり反対することなく、皆、こくりと頷くのみであった……。

＊　　＊

「……あれ、チェシアさんは？」

「あ、ちょっとギルドに顔を出しに行ってます。長期の依頼を受けていたり、休暇を取っていたりしても、情報は把握しておかないといけませんからね」

「あ、なるほど……」

イシュリスさんが言うことは、尤もだ。

情報は、世界を制す。

ハンターギルドなら、周辺国や他領のきな臭い話や、魔物の大量発生、自然災害とかの情報が集まり、ボードにでも貼り出されるのだろう。

いくら今現在は私に雇われていても、そういう情報は把握してなきゃ駄目だよねぇ。この仕事が終わった時のために、事前に次の仕事を考えておかなきゃならないだろうし。

やはり、『灼熱の戦乙女』はしっかりとした信頼できるパーティだな。

「あ、昼1の鐘が鳴る少し前には、私が少し抜けてギルドに顔を出しますので……」

「ああ、別に構いませんよ。まだ連中が戻ってくるまで数日あるでしょうし、4人いてもらえれば、充分ですから」

うん、奇襲さえ防いでもらえれば、何とでもなる。

そして町の中なら、魔物に奇襲されるというようなことはないから、そう心配することはない。

そもそも、お手洗いやら何やら、交代で私の側から離れることは普通にある。

それに多分、イシュリスさんが出掛ける前には全員がお手洗いとかは済ませておいて、イシュリスさんが戻るまではそれ以上護衛の人数を減らさない、というくらいのことは考えているだろう。

昔、ルエダの元神官に襲われた時のは、セレスが防いでくれたのだろうけど、……アレは原因不明だからなぁ。アテにするべきじゃないだろう。

常時展開している、自動防御システムなのか。

たまたま、あの時はセレスが覗いていて、直接介入したのか。

70年以上もアイテムボックスの中にいたから、その間にセレスとのリンクが切れて、自動防御システムが解除されちゃっている可能性。

そしてセレスがそれに気付いて、再設定してくれた可能性。

……ないな。それは、絶対にない！　もしリンクが切れていたら、多分そのままだ。

とにかく、私はあるかないか分からないものに命を託す程のチャレンジャーじゃない。

……セレスに確認する？

いやいや、それはやめとこう。

ないものとして安全策で行動し、もし万一の時に助かれば僥倖、ってくらいでいい。

アレだ、防弾チョッキを着ているから大丈夫だと、超至近距離で友人にマグナム弾を撃たせて死んじゃったヤツ。

いくら防弾チョッキを着ていても、超至近距離とか、テフロンコート弾とか、マグナム、アーマーピアシング、自動小銃、狙撃用ライフル、そして大口径の対物ライフルとかだと、簡単に死ねる。

それに、22口径の小型拳銃でも、ヘッドショットを喰らえば即死だ。

それと同じようなことが起こらないとは限るまい。

あの、月面に不時着していたアルコン艦も、人類を舐めて必要最低限のバリアしか張っていなかったために、純粋水爆で破壊されたのだ。

うん、愚者は経験に学び、賢者は歴史に学ぶ。……そして私は、小説に学ぶのだ。

人生で大事なことは、だいたい、小説が教えてくれる。

＊　＊

何か、おかしい……。

来るかどうかも分からない連中をじっと待っているのも退屈だから、情報収集や顔繋ぎのためにハンターギルドや商業ギルドに行ったり、孤児院に寄付や食材の寄贈、炊きだしとかに行ったりしているのだけど……、どうもおかしいんだよねぇ。

孤児院は、まあいい。

大歓迎されて感謝されるけれど、それはいつものことだ。寄付と寄贈をしてくれる者に対して態度の悪い孤児院なんか、存在するはずがない。

問題は、ハンターギルドと商業ギルドだ。

何故か、ギルド関係者がみんな、異常に愛想が良い。

職員だけでなく、ハンターや商人達もだ。

いや、確かに彼らを味方につけるべく、良い依頼主、金払いのいいカモを演じはしたよ？

……でも、これはちょっと異常じゃないの？


「エディス様、ようこそお越しくださいました！」

「エディス様、お茶と茶菓子でも如何でしょうか？」

「エディス様、何かご入り用のものはございませんか？」

「嬢ちゃん、何か困ってることはないか？　何でも手伝ってやるぞ！」


うーん、私は『手助けするとメリットがあるよ』という宣伝をしたつもりなのに、何だか、儲け度外視で、とにかく私の役に立ちたい、無償で助けたい、って感じなんだよね……。

いや、おかしいだろう！

てめーら、商人やハンターなんだから、もっと貪欲に自分の利益を追求しろよ！

利益目当てで他者を利用しようとしている者は、行動パターンが読みやすいし、自分に利益がある限りはあまり裏切らない。……今よりもっと大きな利益を目の前にぶら下げられない限りは。

……なのに、無償や自分達の持ち出しで近付かれたんじゃあ、意図や魂胆が見切れないから、不気味で不安なんだよねぇ……。

はてさて、どうしたものか……。

「エディス様、領主様が是非晩餐を御一緒に、とのことで……」

ああああ！

何なんだよ、オマエら……。

そろそろ、例の連中が戻ってきてもおかしくない、要注意期間にはいろうとしているのに……。

＊　＊

「よく来てくれた。ささ、座ってくれたまえ！」

領主様は、そう言ってにこやかに私に席を勧めてくれた。

……もう、完全に貴族の娘扱いだな。少なくとも、平民に対する扱いじゃない。

護衛の『灼熱の戦乙女』は、別室で軽食やアルコール抜きの飲み物を饗されているが、勿論、彼女達がそれを口にすることはない。

毒や眠り薬を盛られる可能性だけでなく、たかが数時間の拠点を離れての重要任務中に、お手洗いのために護衛対象から離れるような真似をする護衛などいない、ということらしいのだ。

なので、出発前に僅かな食べ物と水を口にして、お手洗いに行って万全の態勢を整えておくのだとか……。

さすがに、領主様御一家との晩餐会に自前の護衛が出席できるはずがなく、別室で待機させてもらうしかなかったけれど、それは当たり前だ。

それどころか、護衛付きの馬車で迎えに来てくれたというのに、自前の護衛を連れて来たってことが非礼行為になるんじゃないかと、少しビビっていたのだけど、私がそう言って謝罪したところ、『いや、雇われた護衛の者達としては、報酬分の仕事をせねばならぬだろう。それに、神命……、いやいや、巫女殿は知んめぇが、ハンターとはそういうものなのだ！』と、なぜか途中で急に伝法な喋り方になった領主様が、あたふたとした様子で、手を振って『気にするな』という仕草をしてくれたのだ。

……うん、貴族っぽい振る舞いをしている私だけでなく、平民である護衛のハンター達のことも配慮してくれるとは、やはりこの領主様は、貴族としてはかなり良い人だな。

前回は、領主様御一家との食事の前に、応接室のようなところで、領主様と上級使用人らしき人と少し話をした。

……おそらく、正体不明の少女をいきなり妻子に会わせるのは不安だったのだろう。

いや、そりゃ、私でもそうするよ。何が悲しゅーて、妻子をそんな危険な目に遭わせにゃならんねん！

妻子に会わせるのは、相手が人畜無害だと確認してからに決まってる。

そういうわけで、既に私の、……いや、私が安全確認済みである今回は、応接室は抜きで、いきなり食堂だ。

まあ、前回は、幼い子供達の前でするには些か問題がある話題……巫女が襲われそうになったとか……があったから、そういうのを先に済ませておく、という意味もあったのだろうけどね。

でもそれは、逆に言えば、今回はそういう業務的な話はないということだ。

……じゃあ、何の用事で呼んだん？

＊　＊

御使い様を呼んだ。

……呼んでしまった……。

それも、2度目である。

いや、当たり前であろう！

ハンターギルドと商業ギルドのギルドマスターが、雁首（がんくび）揃えてアポなし突撃。

そんなもの、魔物の暴走（スタンピード）が発生したとか、大規模商隊が盗賊団に襲われた時くらいしかあり得ない。

オマケに、この町の有力商人である、オーリス商会の商会主、ダルセンもいた。

その3人の顔を見た瞬間、悟ってしまったのだ。

ああ、ろくでもない話に違いないな、と。

……そして、予想通り、ろくでもない話であった。

数日前に、情報収集用にカネを掴（つか）ませているギルド職員から連絡が来た。

それも、ハンターギルドと商業ギルド、両方の情報源から、ほぼ同時に。

女神セレスティーヌが僅かな祝福をお与えになったという触れ込みの、取り込めばそれなりに宣伝効果がある、しかし身の破滅を招くかもしれない危険を冒してまで無理して関わる程のメリットはない、微妙な立ち位置の、ただの平民の少女。

それが、タチの悪い貴族か金持ちに目を付けられ、危ういところをこの町のハンターと商人に救われ、現在、この町に逃げ込んでいるという話……。

73年前の事件以来、女神セレスティーヌは姿をお見せになることも、託宣を賜ることもない。

そして、『僅かな祝福』というのは何だ、『僅かな祝福』というのは！

そんなものは、気のせいか偶然、もしくは思い込みであろう。

いや、おそらく、悪気はないのであろう。

ただ、信仰心が強すぎて、小石につまずいたけれどコケずに踏みとどまれたのも女神の御加護、危ないところをたまたま通り掛かったハンターや商人に救われたのも、女神の御加護。そういう考え方をする幼い少女であれば、幸運が続いた自分が女神から祝福を授かっていると思い込んでも仕方あるまい。

そして、そう主張する自由巫女の少女に対して、それを否定するような言葉を掛ける者などいようはずがない。良識と空気を読む能力が、ほんの少しでもあれば……。

また、『自称・女神の祝福（僅か）を受けた少女』を支援し、懇意にしているとなれば、対外的な印象が良くなる。好意的に振る舞っておいて、損はない。

……それに、もし本物だった場合に備えて、念の為に一応夕食に招いて顔合わせだけはしておき、『ここの領主は、平民の巫女にも優しい、敬虔なる女神のしもべである』と思わせておくのも悪くはないだろう。かかる経費は、幼い少女ひとりの小さな胃袋に入るだけの、ほんの僅かな食材費だけなのだから……。

そう考えて、話を聞いてすぐに、食事に招いたのだ。

すると、何と、神殿には所属していない貧乏な平民の巫女どころか、子爵家、いや、伯爵家の娘ですら1〜2着持っているかどうかという高価な生地の特注の巫女服を身に纏(まと)い、決して華美ではないが明らかに値が張る宗教的な装身具を身に着けた、どう見ても中級以上の貴族か金持ちの娘としか思えない少女がやってきた。

……話が違う!!

そして、動揺を抑えながら応接の間で色々と話を聞き、その後、家族で持てなした。

妻も子供達も、私が事前に指示していた『貧乏な平民の巫女殿なのだ、礼儀作法を知らぬからといって馬鹿にしたり、笑ったりしてはならぬぞ。彼女のことは、貧乏な平民ではなく、女神にお仕えする神職の少女として遇するように』という言葉をきちんと守るつもりでいてくれたのであろうが……、現れたのは、明らかに自分達より格上の身なりをした少女。

そしてこの国の作法とは少し異なるものの、どう見ても高度な礼儀作法に則(のっと)ったものとしか思えない、優雅な所作と食事の仕方。

それらに気圧(けお)されて、妻と子供達はあまり少女との会話が弾まず、妻子による懐柔をと考えていた思惑は外されることとなってしまった。

……まぁ、それはいい。

うちが平民……神殿に所属していない巫女に対しても好意的であるという意思表示（アピール）は、充分に伝わったはず。

これで、何かこの少女を利用したい時……平民達の御機嫌取りとか、神殿からの要求を牽制（けんせい）する時とか……に、うまく使えれば、と思っていたのである。

……思っていたのであるが……。

それがどうして、『御使い様、ほぼ確定』、しかも、『「女神の御寵愛を受けし人間」の方ではなく、「女神の眷属（けんぞく）」の方だと思われる』ってことになるのだ‼

有力商人の証言と、この町では名が知られた女５人のハンターパーティが『マルス１』を宣言しての報告。そしてそれらと、今までの様々な情報を照らし合わせて、ハンターギルドと商業ギルドのギルマスが『直ちに領主に報告する必要あり』と判断した。

……事実として対処するしかないだろうが‼

いや、御使い様が滞在されるなど、町として、そして領主として、光栄なことだ。それは確かである。

……しかし、タチの悪い連中に狙われているのだろう？

何かあったら、この町が。この国が。この大陸が、滅びるだろうがあああぁ～～っっ‼

どうしろと言うのだ……。

ここには、あの、女神セレスティーヌを叱責してこの大陸の生きとし生けるもの全てを救ったという伝説の超人、『大陸の守護神、絶対英雄「鬼神フラン」』はいないのだぞ‼

……いや、確かに『この町にはいない』が、この、、、大陸にはい、い、いるな……。

もう100歳を超える高齢ではあるが、まだ生きているという話だ。その話を聞いてから今までの間に死んだのでない限り。

生きているのが不思議な程の超高齢であるから、その可能性は充分にあるが……。

とにかく、この町が、女神セレスティーヌの怒りを買い大陸を滅ぼした悪魔の町、と呼ばれるようになることを防ぐためならば、我が一族の命などどうでも良い。

ただ、我らの命を捧げるのみ……。

……しかし、どうしてそれを『御使い様に、私達がその正体を知っているということを隠して行わなければならない』のか……。

しかも、御使い様は別に自分の正体を隠すおつもりは全くないような行動を取られているらしいというのに……。

意味が分からない。

しかしそれでも、やらねばならぬ。

愛する妻や子供達。我が一族。領地の民草。この国の国民達。

……そして、この大陸に生きる、全ての者達のために……。

＊　＊

「……で、どうかな、慈善活動の方は……」

領主様御一家との食事が終わり、食後のお茶の時間に、そんな話題を振られた。

食事中には、当たり障りのない楽しい話ばかりで、あまり重い話や仕事絡みの話をするのは不作法、と言われている。

なので、今からが私を招いた本題の話が始まるはず。

妻子が同席している時にそういう話をするのもあまり良いことではないらしいけれど、私とふたりきりでそういう話をするのも躊躇われ、こういう形にしたのだろう。

それなりに私の立場に配慮してくれた結果だろうから、別にそれは不愉快じゃない。逆に、評価してあげるべきだろう。

「あ、はい、孤児院に行ったり、怪我や病気の人達のところを回ったりと、普通にやっています。炊きだしや、僅かばかりの寄付や寄贈、気休め程度の祈りしかできませんが……。どうやら、神殿の派出所……出先機関……は、お金を払える人達しか相手にしないようですので……」

「むぅ……」

そして私の言葉に、少し顔を顰める領主様。

これは別に、嫌みとかじゃない。

神殿系列は、貴族とか領主、官憲とかとは別の組織だ。出先機関が命令を聞くのは、王都にある大神殿からの指示だけ。

なので、いくらそのやり方を苦々しく思っていても、領主さんにはどうしようもないのだ。

神殿側に何か言ったところで、『貧乏な者達を助けたいなら、領主様がお金を出してお助けになればよろしいでしょう？　領主様の、可愛い領民達なのですから』とか言われたら、反論のしようがない。

そのくせ、一般の人々からだけでなく、領主様にも寄進を要求するんだよねぇ。

そもそも、寄進というものは『自ら進んで金品を寄付すること』であり、神殿側から要求したり、金額を決めて料金のように受け取るとかいうのは、……そんなの、『寄進』じゃない。

私は、アイテムボックス前での第一シーズンのルエダ聖国の連中のこともあって、神殿勢力にはあまりいい印象を持っていない。

いや、そりゃ、神官達の中にも、真面目で民のことを考える、いい人もいるよ。

……でも、悪い連中の方が圧倒的に多かったんだよねぇ、あの頃は……。

セレスが姿を現さなくなってから、50年以上経っていたんだっけ？

そして、講和会議と私が消えた時にセレスが姿を現したことにより、神官達の間にも一気に信仰心が甦った、とか……。

いや、何だよソレ、って話だよね。

一般民衆はずっと信仰心を抱いていて、信仰心を失っていたのは神官達、って、笑い話にもなりゃしないよ。

そして同じく笑えないのが、あれから70年以上経って、当時生きていた神官達から直接教えを受けた現在の年配者達はまだ篤き信仰心を抱いているけれど、その次の世代、現在の比較的若い層は、またまた腐敗し始めているらしいのだ……。

なので、『上層部はまともで、下の方が腐敗』という、普通考えられるであろうものの逆パターンという、珍しい状況になっているわけだ。

平民が日々直接接する部分が腐っているというのは、平民達にとってはいい迷惑だろうねぇ……。

まぁ、それがあって、神殿に属さない野良の巫女が結構歓迎されるんだよね。

僅かな食料の寄進くらいで、ただ同然でお祈りをしてもらえるから。

だから私も、野良巫女の評判を落とさないように気を付けなくちゃね。

『なんちゃって野良巫女』である私が、本職の皆さんに迷惑を掛けるわけにはいかないからねぇ……。

「いえ、それは御領主様がお気になさることでは……。

神殿の連中は大体そうですし、そのために、神殿に見切りを付けて、貧しい者達のために独自に活動する、私達『野良巫女』がいるのですから……」

「うむ……」

領主様はあまり納得していないようだけど、それはつまり、神殿側の現状を快く思っていないということであり、……この領主様が神殿側と繋がって金儲けを、とか考える人じゃなくて、平民のことを考えるいい人、ってことだ。

やはり、ハンターのみんなが言っていた通り、この領地は当たりなのだろう。

そして、領主様はお酒、私と奥様、子供達は紅茶や果実水を飲み、お菓子をつまみながら御歓談。

……いや、わざわざ呼んでおいて、普通の世間話だけ？

と思っていたら、話題や質問が、私の個人情報に寄ってきたぞ？

しかも、何だか私の家名とかの、身元調査みたいな質問が……。

それに、お子さん達と仲良くさせようという魂胆が見え見えの誘導が。

お子さん達、下は5～6歳くらいから上は12～13歳くらいまでの、男の子ふたりと、女の子がひとりだよ。

いや、まぁ、私もここの人達からは12～13歳くらいに見えるから、上の子は同年代だと思われているのだろうけど……。

オマケに、私も貴族だと思っているだろうからねぇ。

でも、いくら同年代の貴族だといっても、邸から殆ど出ずに育った坊ちゃん嬢ちゃんと、ひとりで旅する野宿も平気な野良巫女じゃあ、常識のレベルが違いすぎて、会話にならないと思わないのかなぁ……。

とか思っていたら、私の話への、子供達の食い付きがいい。

……些か、良すぎる。

いや、これは領主様の仕込みじゃなくて、本当に興味津々みたいなんだよねえ、子供達……。

まあ、無理もないか。

上の子と同じくらいの年齢で、どうやら自分達と同じ、貴族らしき少女。

それが、ひとり旅とか野宿とか、魔物に追いかけられて逃げ回ったとか（創作）、宝石の買い取りで騙そうとした鑑定士を懲らしめたとか（脚色）の話をされて、食い付かないわけがないか。

……そして始めのうちは子供達と一緒に驚きの顔をして聞いていた領主さんが、段々困ったような顔をし始めた。

うん、私の話が子供達に受けて、私が喋りっ放し。これじゃあ、領主様が私から色々な情報を聞き出すことができないからね。

いや、私の冒険譚を聞くだけでも、色々と情報は得られるだろう。

……偽情報だけどね。

更にしばらく経つと、領主様が焦りだした。

そして、何だか必死に、私に合図を送ってくる。

……何だ？

あ！

子供達の眼が、ヤバい！

これ、『父上、私達も冒険の旅に出たいです！』って言い出すヤツだ！

そして勿論、そんなの両親に許されるはずがなく、……兄弟揃って冒険の旅に出るため家出する、ってパターン。

そんなの、初日で死ぬか誘拐されちゃうよ……。

あれ、『やめてくれ！』って合図だったのか……。

マズい、話を盛り過ぎた……。

＊　＊

あの後、何とか子供達にひとり旅の危険性を教えて、護衛の『灼熱の戦乙女』のみんなと共に、さっさと退散。

……でも、戦闘力皆無の女の子である私が何の問題もなく旅をしているという事実の前には、少年達を納得させることはできなかっただろうなぁ……。

領主様は、私からは有益な情報は得られそうにないと思っただろうし、自分の子供達を危険に誘（いざな）うような甘言を弄する悪魔をこれ以上邸に招きたいとは思わないだろう。

なので、もう意味もなく領主邸に招待されることはないな。

……うむ、これで面倒事がひとつ片付いたな。よしよし……。

ヤッ
!
?
やめて
やめて
やめて
やめて
やめて
やめて
やめ

＊　＊

やはり、あの巫女の少女、エディス様は御使い様であったか……。

話の中にあった、『魔物達に追われて、逃げ回った』とかいう件……。

森の中で、少女の足で複数の魔物から逃げ切れるわけがあるか！

そして、いくら貴族や金持ちの娘であろうと、そう簡単に高価な宝石をひょいひょいと売って回れるものか!!

……そもそも、金や宝石を持った少女のひとり旅で、盗賊や他の旅人、村人とかに襲われずに済むはずがなかろう！

いくら聖職者である巫女は襲われることが少ないとはいえ、物事には、限度というものがある。

そう、盗賊や町のチンピラだけでなく、少しタチの悪い旅人や村人どころか、宝石を売った商人、それを見ていた店の従業員、その他諸々に狙われ、後をつけられ、襲われるに決まっている。

そして身ぐるみ剥がれて数日後には、奴隷商人に売られるか、実家に身代金の要求が行く。

絶対に、旅を始めて数日後には、そうなるはずなのだ。

それが、何ヵ月も無事に活動を続けていられるなど、……ほんのちょっぴりの女神の御加護程度では足りるわけがない。

そこには、強力な何かがないと……。

……そんなの、ただの人間であるわけがないであろうが！

いったい、どうすれば……。

ああ！　あああああああああ!!

＊　＊

……来た。

来た来た来たァ！

町に、見慣れない連中が現れた。それも、かなりの人数が……。

ハンター……の振りをした、兵士。

素行の悪いハンター。

ゴロツキ。

そう、『敵』の手の者だ。

……どうして素性が分かるか？

いや、勿論、私には分からない。でも、『灼熱の戦乙女』の皆さんには、分かるらしいのだ。

歩き方、姿勢、目配り、道端の女性を見る目。

それら全てにおいて、それぞれの職業特有の癖があるんだってさ。

兵士は姿勢が良かったり、数人が一緒に歩いていると自然に足並みが揃っていたりするらしい。

そして服やズボンはバラバラだけど、靴と剣はお揃いだったり……。

靴と剣は、慣れないもので戦うのは不安だろうし、おそらく靴はそれぞれのサイズにピッタリのものを用意するのが難しかったのだろう。

ここは大量生産ができるような世界ではないし、戦闘用の高価な革のブーツとかは、おそらく受注生産だろう。

素行の悪いハンターとゴロツキは、……まぁ、見たまんまだ。別に偽装をしたりはしていない。

兵士は、『他領の兵士が大勢、領内に侵入して活動。目的は、女性を拉致すること』なんてことが露見したら大事だから偽装が必要だけど、ハンターやゴロツキにはそういう心配はないからねぇ。

いや、勿論、女性の拉致が露見すればハンター資格剝奪、捕縛されて犯罪奴隷、とかになるだろうけど。

大勢が偽装するなら、商隊とその護衛に扮すればいいけれど、それだと馬車や積み荷を用意しなきゃならないし、兵士やハンター、ゴロツキ達に商人の振りができるとも思えない。

それに、商人に扮すると、護身用の小さなものを除き、本格的な武器を持っているのが不自然になるから都合が悪いのだろうな。

連中、ソロやいくつかのパーティに分かれているけれど、互いに情報交換をしているから、全員仲間なのは丸分かりだとか。

雇い主はちゃんと作戦を指示したのだろうけど、ま、底辺ハンターやゴロツキに期待する方が間違ってるよねぇ。

で、私はすぐに宿に引き籠もったのだけど、情報収集に出たチェシアさん……『灼熱の戦乙女』の斥候役。情報収集も担当しているらしい……が、色々と情報を集めてきてくれた。

……というか、やっぱり、チェシアさんの負担が大き過ぎ！

戦闘時以外のリーダーであるイシュリスさん、仕事の配分、調整しようよ！

まぁ、チェシアさんが多才過ぎて、何でも他の者よりずっと上手くこなしてしまうからなんだろうなぁ……。

アレだ。デキる者のところに仕事が集中する、ってヤツ。

だから、職場では下手に能力や保有資格を口にしない方がいいんだよねぇ、それが昇給や出世に繋がるものでない限り……。

そしてチェシアさんによると、連中はハンターギルド支部で私のことを聞き回っているらしい。

商業ギルドの方は、まさか私が宝石を売ることにより商人と繋がりを持ったなどということは思いもしなかったのか、ノーチェックだとか。

あの時、商人であるダルセンさんにも助けられたけれど、連中はダルセンさんの本拠地がこの町だということは知らないだろうから、あの場限りの関係だと考えるのが普通だろう。

なので、連中が商業ギルドで聞き込みをしないのは理解できる。

それに、ハンターやゴロツキ、兵士達には商業ギルドなんか縁がないから、商人から情報を聞き出すやり方も分からないだろうし、そもそも、商人が命とお金と信用の次に大事にする『情報』を、見知らぬ者にそう易々と渡すわけがない。

それに較べれば、ハンターは互いに助け合う仲であり、酒でも奢れば、自分に不利益のない情報は簡単に教えてくれる。ゴロツキも、また然り。

そういうわけで、ハンターギルド支部で聞き込みをしているらしいのだけど……。

『ハンター達もギルド職員も、全員が「知りませんねぇ……」、「何のことでしょうか？」と言って、一切の情報をシャットアウトしています』

ってことらしいのだ。

ハンターを雇ってくれる依頼人は、身内として庇ってくれるらしい。

ありがたいねぇ……。

ま、いくら宿に引き籠もっていても、それだけで逃げ切れるわけがない。

ギルド関係者だけでなく、事情を知らない一般商店の従業員や普通の街の人達、子供達、そして孤児院とかに聞き込みをされれば、私がこの町に滞在していることや、宿屋に泊まっていることとかはすぐにバレるだろう。

ならば、敵に発見され、包囲される前に、こちらから先に一発喰らわせる方がいいだろう。

うん、『攻勢防御』ってやつだ。

……そう考えていたのだけど……。

＊　　＊

「何だよ、テメーら！」

「……いや、ただこの先に用事があるだけだが、それが何か？」

「…………」

あまり風体（ふうてい）の良くない、４人連れの余所者（よそもの）のハンター。

そしてその後ろにぴったりと張り付いて移動していた、明らかに格上の、５人連れのハンターパーティ。

地元の者にそう言われては、余所者には否定できない。

それに、依頼任務を果たす前に揉め事を起こすわけにはいかないし、……格上の上に自分達より人数が多い地元のパーティに喧嘩（けんか）を売って、無事に済むとは思えない。

なので、渋々引き下がった、余所者パーティ。


そして、しばらく経って、ようやく地元パーティが交差路で他の方向へと去って行った。

これでようやく調査を再開できる。余所者パーティの者達がそう思っていたら……。

５人の、警備隊所属らしき兵士達につけ回された。

「何だよ！　俺達が何かしたっていうのかよ！」

激昂（げきこう）してそう怒鳴ったところ……。

「いや、ただの巡回だが？　何をそうカッカしているのだ？　何か、警備兵に見られると困ることでもやるつもりなのか？」

「うっ……」

そして、警備兵の次には商家が雇っている私兵らしき連中、その次にはまたハンターと、その男達に張り付く者が途切れることはないのであった……。

＊　＊

「どうなってるんだよ！　これじゃ、誘拐や拉致どころか、調査すらできやしねぇよ‼」

雇われた者達を代表して、ハンターのひとりが語気を強めた。

……勿論、ハンターとはいっても、このような違法行為をギルドが仲介するはずがない。

ギルドを介さずに直接依頼を受ける、『自由依頼』によるものである。

なので、この仕事に関してはギルドの支援は一切受けられず……というか、明らかに犯罪行為なので、バレれば除名処分モノである。

……まぁ、それ以前の問題として、このような犯罪行為がバレた場合は捕らえられて犯罪奴隷になるので、関係ないかもしれないが……。

そう。町に入った仲間達は、その全てに町側からの見張りが張り付き、情報収集ができたのは、最初の数時間だけであった。

その後は、全く仕事にならなかったのである。

そして、跡をつけてくる連中に我慢ができずに突っ掛かった数組の者達は、なぜかすぐに現れた警備兵達に捕らえられ、連行されていった。

普通、それくらいのことであれば、説教されて、すぐに解放されるはず。

そう思っていたのに、誰ひとりとして戻って来ない。

疑問に思って、警備隊本部の建物の近くへ様子を見に行った者が言うには、……中から、絶叫のような声が漏れ聞こえた、とか。

まるで、拷問を受けているかのような声が……。

しかし、そんなことはあり得ない。

凶悪犯罪であればいざ知らず、たかが言い争いで相手の肩を軽く突いたくらいで、拷問を受けるはずがない。

喧嘩両成敗。双方がちょっと注意されて、そのまま解散。それが普通である。

幾分地元贔屓（びいき）が入るとしても、片方はそのままお咎（とが）めなし、もう片方が収監されて拷問など、あり得ない。

そもそも、拷問というものは、情報を得るために自白を強要するものである。

初対面の者同士がちょっと諍（いさか）いを起こしただけだというのに、いったい何を自白させようというのか。

……しかし、警備隊本部の建物から微かに漏れ聞こえてくる声は、いくら聞いても、悲鳴にしか聞こえなかったのである。


「おかしいだろうが！

平民の小娘をひとり、捜し出して連れ戻すだけ。あんた、確かそう言ったよな！　それが、どうして町ぐるみで敵対行動を取られるんだよ！

あり得ねぇだろうが！

あんた、何か隠してるよな？

依頼において、危険度の虚偽説明や重要事項の未告知は、重大な契約違反だぞ！

その場合、依頼金の全額プラス違約金の支払いと、仕事の即時中止。それがこの業界での掟だぞ‼」


「知らん！　依頼内容は、事前説明の通り、旦那様が目を付けた、神殿には所属していない平民の野良巫女をひとり確保することだ。

野良だから神殿に邪魔されることもないし、他領から流れてきただけの平民なのでその地の領主とかが気にすることもない、ただの12～13歳くらいの小娘だ！」


「じゃあ、どうしてこうなってるんだよ！」

今回の作戦に参加した領軍兵士と、雇われのハンターやゴロツキ達全体の指揮官である領軍士官に食って掛かる、ハンター達。ゴロツキ連中も、それに便乗して騒いでいる。

……仕事をせずに依頼金プラス違約金が貰えるなら、それに越したことはないので……。

そして、何とかせねばと、懸命に頭を絞る指揮官。

「……やむを得ん。裏の連中に接触して、情報を入手しよう。情報がなくては、どうにもならんからな……」

雇った連中に報酬を支払うのは、小娘を連れ帰ったあとである。

こんなところに大金を持ってくるわけにはいかないし、下手をすれば雇った連中に持ち逃げされる可能性もある。

なので大金を持っているわけではないが、別に危険な仕事を依頼するわけではない。ならば、手持ちのお金で足りるはずである。一応、念の為に少し多めに持ってきているので……。

「では、蛇の道は蛇、裏の連中との繋ぎは、お前に任せよう。

これは、必要経費だ。相手と会うには、酒場の代金とかが必要だろう？

これとは別に、ちゃんと追加報酬が貰えるよう上の方に口を利いてやるから、しっかり頼むぞ！」

そう言って指揮官に指名されたゴロツキのひとりが、恭しく1枚の金貨を受け取りながらにやりと嗤い、その依頼を引き受けた。

＊　　＊

「……駄目だ。下っ端の奴らに酒を呑ませて金を握らせ、世間話やらどうでもいい話とかをして、……そこまでは良いんだが、『野良巫女の娘』という言葉を口にした途端、みんな、顔色を変えて口を噤みやがる……。

連中は詳しいこたぁ知らねぇみてぇだが、上の方から指示が出てやがるな、ありゃあ……。

それも、タダ酒で良い気分になっている奴らが一瞬で素面に戻るくれぇの、キツいやつがよ。

……多分、トップからの厳命だな……」

裏の連中との繋ぎを取ろうとした男が、指揮官にそう報告して、肩を竦めた。

「なっ……。どうして、この町に来てまだほんの数日しか経っていない平民の小娘が、そんな、表と裏の両方から町ぐるみで守られるのだ！　おかしいだろうが、ええ‼」

「そんなこと、俺に言われても……。こっちが知りてぇよ！」

期待していた追加報酬がパーになったため、あまり機嫌の良くないゴロツキ。

そして、話を聞いていたハンターが、横から口を挟んだ。

「……聖女様、だからじゃねぇんですかい？」

それを聞いて、不愉快そうに顔を顰める指揮官。

「……馬鹿な……。それは、領主様があの小娘を担ぎ上げて利用するために考えておられる、ただの『設定』に過ぎん。

そもそも、本当に女神の御寵愛や祝福を賜っていたら、小娘ひとりで貧乏人相手のひとり旅などしているはずがないだろうが！

好待遇で受け入れられるよう神殿に売り込んだり、王宮や上級貴族に専属として雇われたりすれば、一生安楽に暮らせるというのに……」

　しかし、その指揮官の言葉は、ハンターによってバッサリと斬り捨てられた。

「いや、そう考えるようなヤツは、そもそも女神の御寵愛を受けたり、祝福を賜ったりはしないでやしょうが……」

「うっ……」

　ハンターの正論に、反論することができず、言葉を詰まらせた指揮官。

　それは、あまりにも説得力があり過ぎて、否定のしようがない言葉であった。

「……ま、まぁ、『聖女様』というのは、あくまでも設定、架空の話に過ぎないので、そんなことは関係ない！　今はとにかく、小娘を捜し出して確保することが最優先だ！」

　そう怒鳴る指揮官に、御機嫌取りのつもりか、ハンターのひとりが囁いた。

「まぁ、別に今までの調査が無駄だったというわけじゃないですからね」

「ん？　どういうことだ？」

　聞き返した指揮官に、男が説明した。

「いえ、町の者達が必死で隠そうとしているということは、その少女がまだこの町にいるということでしょう。そして、何らかの理由で、町ぐるみで守ろうとしている、ということが判明しました。これは、これから我々が作戦を練るに当たって、とても重要な情報ですよ。下手に行動する前にそれが分かったということは、初手としては大成果と言って良いのではないかと……」

　それを聞き、あ、という顔をした指揮官。

「……そうか。確かに、そう考えれば、他領の見知らぬ町での極秘行動の第一歩としては、そう悪くはないか。

少人数に分かれてバラバラに町へ入ったから、我々が纏まったひとつの戦力だとは気付かれていないし、小娘には我らの存在もその目的も知られてはいない。

戦力と情報、その双方において、我々が一方的な優位に立っているというわけか。

……これは、悪くない。悪くないか……」

指揮官は、機嫌が良さそうな顔で、その場にいる者達に指示を出した。

「よし、今日はもういい。あとは自由行動だ。町に出て酒を呑むことも許可する！

……但し、明日の任務に支障が出るほど呑んだり、騒ぎを起こして目立つ事をやった者は、以後、この任務が終わるまで飲酒禁止にするぞ！

おい、飲み代（のみしろ）だ、足りない分は、自分達で払えよ！」

そう言って、金貨を1枚、部下の兵士に渡してやった。

「「「「「おおおおおお!!」」」」」

いくら指揮官とはいえ、こんなハンターやゴロツキを交ぜた小部隊を率いての、身分を偽装しての潜入任務である。

もしこの領地の官憲に正体がバレたら、おそらく抗議を受けた領主様からは、『そのような者達は知らぬ。ゴロツキ共が虚言を弄しているのであろう。皆、打ち首にされよ』とでも回答されるであろう。

それに信憑性を持たせるために、兵士ばかりではなく、犯罪行為も気にしないハンターやゴロツキ達を雇っての、混成部隊なのである。

もし戦いになった場合、ハンターかゴロツキが数人殺されてその死体が現場に残されれば、完璧であった。

なので、こんな任務を与えられるのは、士官の中でも下っ端、それも使い捨てても惜しくない、平民上がりの初級士官である。

そういう者にとって、金貨1枚は、かなり痛い出費のはずであった。

それでも、その痛い金貨を、自分の部下だけでなく今回限りの雇われハンターやゴロツキ達にも呑ませてやろうと、痩せ我慢をして、ポンと出してやる。

おそらく、良い人物なのであろう。

……上官に、そして仕える領主にさえ恵まれていれば……。

しかし、そのような僥倖に恵まれる者は、滅多にいない。

それは、仕方ない。

仕方ないことなのであった……。

そして、指揮官からの大盤振る舞いを引き出したハンターの男は、みんなにバンバンと肩を叩かれて、称賛の言葉を受け続けていた。

＊　＊

「……見つけました。

宿に泊まっています。そしてどうやら、護衛を雇っている模様です。

女ばかりの、５人パーティの中堅ハンター。

腕は悪くはないようですが、所詮は女性ハンター。我ら軍人には到底敵わないでしょうし、こちらが雇っているハンター達も、女には後れを取ることはないかと。

……ゴロツキ連中は、まぁ、賑やかし程度に……。

連中は、我々の正体を誤魔化すための欺瞞要員ですからね。死んでも、何の問題もありませんし」

今回雇った部外者ではなく、元々自分の部下である下士官からの報告を聞き、苦笑する指揮官。

さすがに、いくら女性とはいえ、ゴロツキに負ける中堅ハンターはいないであろう。

「町中で騒ぎを起こすわけにはいかん。警備兵や領軍が出てきたら、こちらにとっては致命傷だ。我々はあくまでも、『それぞれ全く無関係の、別個のハンターやゴロツキや旅人達』なのだからな。それに、町だと小娘に味方する者達がすぐに集まってくるだろう。なので……」

「……行動を起こすのは、町の外、ですね？」

「そうだ。小娘の行動範囲と、そのパターンを調べてくれ。

いくら護衛が付いていようが、護衛対象が馬鹿であり勝手な行動をすれば、いくらでも襲撃の機会は得られる。

護衛対象を簡単に攫われて名を落とすことになるハンター達には申し訳ないが、手痛い授業料として、将来のための糧（かて）としてもらおう」

「は！」

＊　＊

「……というような状況ですね」

「なるほど……」

護衛に雇った女性パーティ、『灼熱の戦乙女』のリーダーであるイシュリスさんからの報告を受けた。

それによると、分散して町に侵入した『明らかに訓練された兵士である、なんちゃってハンター』、『非合法の、ハンターギルドを通さない直接依頼を受けるタイプの、底辺ハンター』、そして『どこにでもいる、ただのゴロツキ』達の合計人数は、暴力行為で捕らえられた者を除き、17人であるらしい。

「底辺ハンターとゴロツキは、違法行為に出るまではまぁ良いのですが、兵士がハンターを名乗るのは、重大な犯罪行為です。現時点においても、ハンターギルドが全力で抗議できますよ。

そして、身分詐称者達の雇い主に対する謝罪と賠償金の要求、本人達への処罰と、ただじゃ済みません。

まぁ、ごく稀（まれ）にはハンター登録をしている兵士もいないわけではありませんが、あの連中が全員そうだとはとても思えませんからね」

え？

イシュリスさんが、そんなことを言っているけれど……。

「でも、それって、正体が露見した時点で、ハンターを詐称していることより、他領の兵士が大勢、身分を偽って侵入して何やら工作、って時点でアウトなんじゃないの？

それ、下手したら領地同士の戦争が始まったり、王様が国軍を出して成敗、とかいう大事になったりしない？

それに、雇い主はそんなの絶対認めないんじゃないかなぁ。そんな奴らは知らぬ、おかしな言い掛かりを付けるな、とか言って……」

「……た、確かに……」

私の質問に、なる程、という顔で納得した様子の、イシュリスさん。

「バレない、もしくはバレてももみ消せるとでも思っているのですかねぇ……」

「まぁ、『御使い様』を確保出来れば、多少の無理は通せるとでも考えたのか……」

「あはは……」

エミスさんとチェシアさんがそんなことを言っているけれど、勿論、それはただの冗談だろう。

私はあくまでも『ごく僅かな祝福を受けているだけの、ただの野良巫女』なのだから。

まあ、本当にハンターなのか偽物なのかは、すぐに分かるわけじゃない。

このあたりの技術力なら、ハンター証なんか簡単に偽造できるだろうし、わざわざ偽造するまでもなく、ハンターから奪うとか、森で死んだハンターから身ぐるみ剝いだ時に手に入れたものとかが、闇市で売られているらしいのだ。

そのハンター証を発行した町のギルドとすぐに連絡が取れるわけでなし、本人の魔力を感知して、とかいう謎技術があるわけでもないのだから……。

なので、現段階で偽ハンターだと断定して捕らえるのは不可能だろう。

今はまだ何の犯罪も犯していない、ただの移動途中のハンターに過ぎないのだから……。

「つまり、敵の人数は17名。うち9名が兵士で、残りがハンターとゴロツキ共、というわけです。

……すみません、ちょっと、我々だけでは勝てそうにありません。

なのでここは、追加の護衛を雇うか、領主様に兵を出していただくようお願いした方が……」

イシュリスさんがそんなことを言い出したけれど……。

「いや、それじゃあ、向こうが襲ってこないじゃん！」

「え？」

「いや、自分達の方が圧倒的に優勢じゃないと、襲ってこないでしょ？」

「「「「…………」」」」

ぽかんとした顔の、『灼熱の戦乙女』のみんな。

「……いや、襲って欲しいのですか？」

「うん。そうしないと、ずっと狙われたままで、護衛を雇いっぱなし、町からも出られないでしょ。それに、締め上げて黒幕の名を吐かせないと……」

「あ、拷問なら、既にやってますよ?」

「え?」

「え?」

「「えええ?」」


「……いえ、何でもありません!」

イシュリスさんが、何やらよく分からないことを言っていた。

何人かが警備兵に捕らえられたらしいって言っていたけど、酔って少し喧嘩したくらいで、拷問なんかされるわけがないよね。

いくら何でも、そんな重罪じゃあるまいし……。

だから、ちゃんと私を襲ってもらって、拷問をされても仕方ないだけの重罪を犯してもらわなきゃね。

「……で、いつまでも長引かせるのも面倒だし、いつ襲われるかが分からないと、こっちも気が休まらないし、思わぬ不覚を取ることも考えられるからね。

だから……」

「だから?」

イシュリスさんの問いに、胸を張って答えた。

「こっちが考えている通りの時に、こっちが考えている通りの場所で襲ってもらう!」

「「「「ええええええ……」」」」

『灼熱の戦乙女』のみんなが驚いて声を上げたけれど、戦いの場所と刻が自軍の思う通りになるよう誘導するのは、戦いの鉄則だよね。

自分達の都合の良いシチュエーションでの戦いに持ち込むのだ。

「……しかし、いくら襲われる場所とタイミングを誘導できたところで、そして半数近くが底辺ハンターとゴロツキ共だとはいえ、9人もの職業兵士を含む17人を相手にすることは……。

せめて同数の戦力を用意しないと、一度に襲い掛かられた場合、複数の敵に対峙することになった者がすぐにやられ、そして相手を倒して手が空いた敵が他の仲間に助勢しますから、あっという間に劣勢になってしまいます。

それに、敵に手空きの者ができると、私達が戦っている間にエディス様が拉致されるかもしれません。そうなっては、何の意味もないでしょう！」

まあ、その通りなんだけどね。

……そしてイシュリスさんの説明は、私を護る、という観点からのみの話であって、自分達の生死に関することには何も触れていない。

普通、ただの1回の護衛依頼のためにそんな危険を冒すようなハンターはいないよねえ。

別に、親の仇と戦うというわけじゃないんだ。

ただの仕事。

依頼料分以上の危険を冒す必要はない。

私が契約した内容は、『町の中で襲われた時のための護衛』だ。わざと大勢の敵からの襲撃を誘い、それを迎撃するというような、危険度の高い依頼じゃない。

それに、そういう仕事を依頼するなら、ハンターギルドではなく傭兵ギルドだろう。

「……まあ、大丈夫。

それと、それは『灼熱の戦乙女』の皆さんと契約した護衛依頼の内容から逸脱していますから、勿論、皆さんにはお付き合いいただく必要はありません。

あ、連中を締め上げて黒幕の正体を吐かせるまでは、まだ次のが来るかもしれませんから、契約は継続しますけどね」

「「「「えええええええ!!」」」」

私の言葉があまりにも予想外だったのか、驚きの声を上げた『灼熱の戦乙女』の面々。

……でも、これは当然のことだろう。

あんな契約内容と依頼金で、勝てるはずのない戦い、『死ね!』という戦いに引き込めるはずがない。

そして、私の戦いを、敵以外の者の目に触れさせるわけにはいかない。

なので……、って、何かみんなが無言でアイコンタクトをしているぞ。

さすが、ベテランハンター。それで意思疎通ができるんだ……。

そして、赤外線通信で話が付いたのか、みんなが私の方を向いて……。

「「「「お供させていただきます!!」」」」

「えええええええっ!!」

……どうしてこうなった……。


「ど、どうして……」

「いえ、依頼が無事完了する前に依頼人に死なれては、私達『灼熱の戦乙女』の名折れ！　ここは、何としてもお供させていただきます！（どうしても何も、この大陸を海の底に沈められたくなければ、他に選択肢がないでしょうがぁ～～っっ!!）」


困った……。

相手が敵だけならば、何とでもなる。

いくら向こうが『上官からの命令を遂行しているだけの兵士や、雇い主の依頼を遂行しているだけの者達』とはいえ、それが明らかな違法行為だということを承知で、少女を襲い拉致しようとしているわけだから、『この人達は、命令されただけ』とか『この人達にも、家族がいる』とかいうことは、何の意味もない。

そんなことを言っていたら、戦争の時に、攻めてきた敵国の兵士に手出しできなくなってしまう。

あの人達は命令されただけだの、あの兵隊さん達にも家族が、とか言って……。

さすがに、そんな馬鹿はいないだろう。

それに、いくら相手の家族を悲しませたくないからといっても、だから黙って誘拐されて奴隷になってあげなきゃならないってことはないよねぇ。

……ほんのこれっぽっちも！

なので、襲ってきた連中をほぼ壊滅させて、黒幕の正体を吐かせて、……その後完全に敵の一味を壊滅させるつもりだったのだ。根っ子まで、全て。

野良巫女の聖女様に手出ししてはならない、という風聞を広めるのも、悪くはない。

別に、それは女神の加護や奇跡によるものだとは限らないしね。

聖女を護るための、かなり過激な武闘派信者集団の存在。

聖女に子供の命を助けられたことのある有力者が、密かに護衛部隊を張り付けている。

……理由は不明だけど、手出しした者は酷い目に遭い、友好的に振る舞った者には、ほんのちょっぴり、良いことがあるかもしれない。

そんな風聞が広まれば、今後も色々とやりやすくなる。

私の安全面でも、……そして報復活動においても。

もし何か残念な出来事があったとしても、それは私の指揮下にはない謎の組織が勝手にやっていることだから、私は何も知らないし、どうしようもない。なので、私には何の責任もない。

……だから、私ひとりで出掛けるつもりだったんだよね、この町の孤児院まで……。

ここの孤児院は、町外れにある。

土地が安いし、畑を作るのに都合が良いし、子供達がのびのびと暮らせるし、あまり一般家庭の暮らしを見ずに済むから。

……というか、町の中心部の一等地にでででんと建っている孤児院というのは、あまり見ないよねぇ……。

そして、そこへ食料を積んだリヤカーを牽いて炊き出しに行けば、帰り道で必ず襲われると思うんだよねぇ。行きの時に当然発見されて、帰りまでには充分に準備をする時間があるから。

しかも、護衛なしでの町外れへの単独行動だもん。

普通なら罠を疑って当たり前だけど、多分、平民の小娘だから危機感のない馬鹿だとか、護衛を雇うお金が尽きたとか、自分達に都合の良いように解釈してくれるだろう。

少なくとも、自分達を上回る戦力を用意できるとは思いもしないだろうからね。

……事実、その通りなんだし……。

その計画が、『灼熱の戦乙女』のみんなについて来られたら、実行不可能になる。

目撃者さえいなければどうとでもできるのに、『処分できない目撃者』がいたんじゃ、マズいんだよなぁ……。

そして、いくら『灼熱の戦乙女』が護衛してくれたところで、『女神の奇跡』なしじゃあ、とても兵士が交じった17人の敵には敵わない。

もし万一勝てたとしても、それは味方の大半が死ぬか重傷を負っての結果だろう。

まぁ、まず、勝ち目はないけどね。

そして私は、自分のせいで人が死んだり傷付いたりすることは許容できない。

なので……。

「却下！」

「「「「えええええ〜〜っっ!!」」」」

『灼熱の戦乙女』のみんなが驚きの声を上げるが、でも、ここは譲れない。

「雇い主としての命令です。私が指示する時間、みんなはこの宿で待機。

その指示を破った場合、重要な契約違反として、その場で護衛契約を破棄します！」

「「「「…………」」」」

黙り込む、『灼熱の戦乙女』の面々。

でも、これはみんなを死なせず、傷付けないための指示だ。

『灼熱の戦乙女』がお人好しのいい人揃い（ぞろい）だということは分かっているけれど、たかが数日間の護衛の仕事に命を懸けるなんて、そんな馬鹿をやるハンターが長生きできるわけがない。

……だから、これは私が子供だと思っているがための、彼女達の判断ミスだろう。

でも、私は子供じゃないし、そんなことでみんなを死なせるわけにはいかない。

そして、長いように感じても実は短い無言の時間が過ぎて……その間、『灼熱の戦乙女』のみんなの間では、赤外線通信（アイコンタクト）のビームが放たれまくっていたけれど……、遂に、イシュリスさんが『苦渋の選択』、みたいな顔をして、頷いてくれた。

「……分かりました。私達は契約により雇われた身。契約書に書かれている通り、私達の不利にならない、契約内容に沿った依頼人からの指示には従わねばなりません。

忸怩（じくじ）たる思いではありますが……」

うん、そうだよねぇ。それが当たり前だ。

この護衛依頼は、『灼熱の戦乙女』のみんなにとっては、ただの、生活のための日銭稼ぎのお仕事に過ぎないんだ。そんなのに、命を懸けてどうするよ。

給料分の仕事をすればいいんだよ。滅私奉公やサービス残業なんか、クソ喰らえ！

働いた分は、全てキッチリ給料を払ってもらわなきゃ！

タダで働きたきゃ、自分だけそうしろよ！　部下を勝手に巻き込むな‼

……ハァハァハァ……。


……いかん、思い出したくない、前世の業(カルマ)が……。

とにかく、『灼熱の戦乙女』のみんなが納得してくれたので、やれやれだ。

じゃあ、善は急げだ。早速、明日の朝イチにでも食材を買い集めて、午後に出掛けるか……。

そうすれば、夕食を作って子供達に食べさせて、帰る頃には薄暗くなっているだろうし。

薄暗いと、向こうも襲いやすいだろうし、こっちも第三者に『神罰』を見られる心配が少し減る。

うむ、よしよし……。

＊　　＊

「非常事態発生‼　シェルナ、直ちに領主様のところへ行って事情説明、兵力の派出を要請！

エミス、同じくハンターギルド支部へ行って、ギルドマスターに説明を！

来客中だろうが何だろうが、パーティ名を名乗って、押し入れ！

何、既にうちのパーティ名で『マルス1』を宣言してあるんだ、止められることはないだろう。

チェシアは、孤児院までのルートを調査して、襲撃に都合が良さそうな場所の確認！

ネイリーは、私と一緒にエディス様の護衛を。

……掛かれ!!」

「「「「応ッ!!」」」」


カオルが自室に引っ込んだ後、『灼熱の戦乙女』のメンバー達は、悲壮な決意で相談し、そしてその内の3人が、各々の義務を果たすために、町へと散っていった。

本来は領主のところへはパーティリーダーであるイシュリスが行くべきかもしれなかったが、護衛がふたりだけになる以上、最も護衛としての能力が高いイシュリスは残るべきであった。

……そして、仲間のことを信頼しているならば、その判断に迷うことはなかった。

（頼んだぞ……）

そして、ぎりり、と歯を食いしばり、窓から、仲間達が消えた方角を見詰める、イシュリスであった……。

第七十八章　釣　り

「重い……」

昼2の鐘(午後3時)の頃、ガラガラとリヤカーを牽(ひ)きながら、そう愚痴るカオル。

町外れにある孤児院へ、炊き出しの慰問に訪れるために移動しているのであった。

炊き出しなのに手ぶらで行くわけにはいかないので、それらしく調理器材や食材を運ばなければならないのである。

大きな寸胴鍋(ずんどうなべ)は、恭子(きょうこ)の母船で作られた、特殊合金製。金属部分の内部にはたくさんの極小の気泡が作られており、軽くて丈夫で腐食しないという、完璧の品である。

熱伝導率も、問題ない。

食材は、野菜は目立つように積んであるが、肉は傷むのを防ぐため、まだ今はアイテムボックスの中である。孤児院に到着する寸前に出す予定であった。

リヤカーは、詳しく調べられれば規格外のシロモノだと分かるであろうが、ちらりと見ただけでは大八車モドキにしか見えないので、その材質や構造を調べられない限りは、一目で違和感を覚えられるようなものではない。

なので、商人や技術者ならばともかく、カオルの拉致が目的である襲撃者や孤児院の者達が気にするようなことはないはずであった。

「今回の慰問は突然の行動だから、行きに襲われることはないだろう。襲われるなら、人数を集めてちゃんと準備して待ち構えての、帰り道だ……。

いや、別に行きに襲われても私は困らないけれど、せっかく用意した食材が無駄になるのは勿体ないし、昨日イシュリスさんにお願いしてこっそりと孤児院に炊き出しのことを伝えてあるから、子供達をがっかりさせたくはないからねぇ……」

予告なしで突然行くと、既に食事の用意が進められていたりして被る可能性があるため、事前告知は必須である。さすがに、カオルもそこまで非常識ではない。

前日の夕方になってから、『灼熱の戦乙女』のメンバーがこっそりと連絡に行ってくれたので、事前に敵に察知された可能性は、ほぼゼロである。

「しかし、さすがプロ。連絡には3人を派出して、それぞれ別行動をさせてひとりだけが孤児院へ行くという念の入れよう。

まあ、敵の目標は私だけなんだから、護衛が一時的にどこかへ行ったとしても、気にしないよね。まだ夕方だというのに、町のど真ん中にある宿屋を襲撃するわけにはいかないだろうから……。

そんなの、警備兵やハンター、傭兵達が殺到するに決まってるよ。礼金目当てのゴロツキ達も参加するかもしれないし……」

そう、ゴロツキ共が金目当てで参加するのは、別に向こう側の陣営だけじゃない、ということである。

＊　＊

「「「「「おねーちゃん、ありがと～!!」」」」」

ぶんぶんと力いっぱい両手を振る子供達の声に送られて、孤児院を後にするカオル。

いつものことである。

孤児院にお金や食べ物をもたらしてくれる者は、神か女神。

子供達は、そう信じているのだから……。

（襲撃は、すぐだよなぁ……。

孤児院は町外れにあるけれど、別に町から遠く離れているというわけじゃない。家並みがポツポツと途絶え始めたあたりが『町外れ』であって、そこから更に少しだけ離れたあたりに建っているんだ。

町から少し離れていると、周囲の土地が菜園とかに使えるし、子供達が苛められることもない。

そして、子供達が日銭稼ぎに町へ行くには、そんなに遠すぎるというわけじゃないから……。

とにかく、せっかく私が町の中心部から離れたというのに、また町の中に戻るのを待ったりはしないよねぇ……）

食材がなくなったため、往路よりはかなり軽くなったリヤカーを牽きながら、そんなことを考えているカオル。

リヤカーに積んであった荷物は、消費してなくなった食材だけでなく、重い物や再度作るのが面倒な物……微細気泡入り特殊合金製調理器具とか……は、既にアイテムボックスに収納してある。

それらを運ぶのにわざわざ余計な苦労をする必要はないし、襲撃された時に壊されたりすると嫌なので……。

炊き出しは夕食であったため、片付けやら纏わり付く子供達の相手やらで少し遅くなり、辺りはもう暗くなっている。

そして、カオルがそろそろかな、と思い始めた時……。

前方に、数人の男達が現れた。

孤児院からは充分離れており、町の方からも木々やら何やらで遮られた、まぁ、『襲うなら、ここが最適ですよ！』という、お勧めポイントのような場所である。

そしてカオルが後ろを振り向くと、そこにも数人の男達の姿があった。

前後を押さえなくとも、逃げた小娘など大人の足であればすぐに追いついて取り押さえられるであろうが、それだけ慎重だということなのであろう。

そして、無言のまま近付き、距離を詰めてくる男達。

（前後合わせて、10人くらいか……。小娘ひとりを捕らえるにしちゃ、随分と慎重だねぇ……。でも、さすがに17人全員を出したりはしないか。残りは少し先行して待機、荷物を抱えて走って疲れた者達からバトンタッチ、ってとこかな？）

　カオルがそんなことを考えているうちにも、前後の男達は近付いてくる。

　しかし、まだ何も言われていないため、この男達はたまたま通り掛かっただけの、無関係の通行人である可能性も、ゼロではない。……小数点以下数桁の確率ではあるが。

　なのでカオルは、リヤカーを牽いたまま脇へと避けて、道を空けた。

……が、勿論男達はたまたま通り掛かった者達ではなかったため、前後から来た者達が合流して立ち止まり、道から外れて立っているカオルに正対した。

（だよね～！）

　まぁ、予想通りである。なので、驚いた様子もないカオル。

「……巫女、エディスだな？」

　男達の中の、リーダー役らしき男にそう尋ねられ……。

「いえ、違いますけど？」

「「「「「ええええぇ？」」」」」

　怪しい男達に誰何されて、正直に答えねばならない理由はない。

　なのでそう答えたカオルであるが、これはお遊びである。別に、必死で他人の振りをしてこの場を逃れたいと思っているわけではないし、そもそも、向こうもこの程度で『すまん、人違いだった！』とか言って退いてくれるほどの馬鹿ではないだろう。

「嘘を吐くな！　調べは付いているんだ!!」

「分かってるなら、どうして聞いたの？　馬鹿なの？」

「ぐっ！　う、うるさい‼」

「自分の馬鹿さ加減を指摘されて、ムキになったり逆上したりするのって、カッコ悪いよ？」

「じゃかましいわっっ‼」

カオルにからかわれて、簡単に平常心を失ったらしきリーダー。

「ちょ、ちょちょちょ！　一応、最初は穏便に同行をお願いするって計画だったじゃないですか！」

「あ……」

部下にそう指摘され、しまった、という顔のリーダー。

普通にそうお願いされたのであれば、カオルも一応は丁寧に応対せざるを得ないし、下手（したて）に出られては、相手を一方的に悪者にもできない。

しかし、10人近い大人達に詰め寄られ、一方的に怒鳴りつけられたため、『少女が大勢の大人達に絡まれ、因縁を付けられている』という構図が出来上がってしまっている。

充分、助けを求めたり、逃げ出したり、……反撃したりしても許されるであろう状況である。

……どうやら、カオルに嵌（は）められたようであった。

「くっ、こ、この……。

み、巫女様、我らと同行して、御屋形様に会っていただきたい！」

リーダーは、思い直して軌道修正を図ったようである。

この時点においては、この連中は前回カオルを無理矢理連れ去ろうとした4人組と同一グループ

だとは断定できない。なので……。

「え？　あの、先日私を拉致しようとして、自分達の都合が悪くなったからと私を殺そうとした、あの４人組の御同僚の方々ですか？」

「えっ？」

「なっ？」

「聞いていないぞ？」

「どういうことだ？」

男達の間に混乱が広がり、ざわついた。

「あれれ〜？　自分達の行為がバレないように、嘘の報告をしたのかなぁ……、って、そこにいるじゃないですか、私を殺して、上司に嘘の報告をしようとしていた人達！

あ、上司に本当のことを喋られると困るから、捕らえる時か移動中に、どさくさに紛れて私を殺し、口を塞ぐつもりで……」

「「「「ひっ!!」」」」

リーダーに怖い顔で睨まれて、真っ青になった４人組。

「おい、ソイツらを向こうに連れて行って、見張っておけ！」

そして、４人プラス見張りが少し離れたところへ行き、カオルに応対する敵は半数になった。

一度に10人近くをヤるより、半分ずつ２度にした方が余裕ができていい。

そう考えて、口の端を歪めたカオル。

（じゃあ、そろそろ……）

カオルがそう思った時。

「待て！　貴様達、大勢で少女を襲うとは、言語道断！　成敗してくれる!!」

……『灼熱の戦乙女』が現れた。

（計画が、台無しだよ……）

そして、がっくりと肩を落とす、カオルであった……。


「どうして……」

力なくそう呟くカオルであるが……。

「我ら、敬虔なる女神のしもべ、『灼熱の戦乙女』！　少女の危機は、看過できませぬ!!」

「あ～……」

しかし、『灼熱の戦乙女』は、道を歩いてきたようには見えなかった。

まるで、突然現れたかのような……。

そして、素早くカオルに合流し、敵との間に立ち塞がった。

「……って、最初からここに潜んでいたのか！」

カオルの叫び声に、にやりと笑うイシュリス。

そう。帰り道で、町から遠い位置で、町側からも孤児院側からも死角になっていて、襲うのに丁度良い場所。

カオルも、襲うならこのあたりだよな、とは思っていた。

素人のカオルでもそう思うのだから、当然、その道のプロ達もそう考えたのだろう。

そして、『灼熱の戦乙女』のみんなは、敵よりもずっと早く、カオルの行動予定を知っていた。

……そう、今日の昼2の鐘の頃にカオルが孤児院へと出発するよりも、ずっと前から……。

ならば、敵が待ち伏せのために人員を配置するよりも先にここに潜んでおくことは、簡単なことであったろう。

そして彼女達は、ここの地元民である。このあたりの地形など隅々まで把握しているだろう。

余所者がこのルートで襲撃するならどの場所を選ぶかを予測することなど、児戯にも等しい。

しかし、女性5人では、この数の敵には対処できない。

それは、イシュリス自身がカオルに告げたことである。

意味のない行動。

無駄な犠牲。

自分の計画の邪魔。

……そう思い、カオルが困惑していると……。


「お前達、大勢で女性を取り囲んで、何をしている！」

「「「「「え……」」」」」

後ろから聞こえた怒鳴り声に、賊達が振り向くと……。

そこには、孤児院側から街道を歩いてくる、20人近いハンター達の姿があった。

「俺は、この町のハンターギルドのギルドマスターだ！　所属ハンター達のうちの精鋭を率いて、大規模な魔物の間引きに出た帰りだ。

うちの女性ハンター達に、何か用でもあるのか？」

「「「「「「………………」」」」」」

指揮官は、困惑していた。

ギルドマスター率いる、精鋭ハンター達。

それは、熟練兵士ともいい勝負ができる強者達(つわもの)である。

……それに対して、自分が連れてきたのは、使い捨てにしても惜しくはない下っ端の下級兵士と、底辺ハンター、ゴロツキ共の混成部隊である。

そして何よりも、人数差が大きい。

いくら何でも、自分達の2倍以上の人数を相手にしては、勝負にならない。

これが何千何万の戦いであれば、一度に戦闘行為をしているのはそれぞれの集団の前縁部分、最前線(フロントライン)にいる一部の者達だけである。

しかし、この程度の人数であれば、皆が一斉に戦うことになる。

ならば、人数が多い側は複数でひとりの敵に当たることになり、……そこでは一瞬で勝負が付く。

そうなれば、相手を倒し手の空いた者達は、それぞれ他の仲間達の加勢に行き、敵を背後から斬る。

そしてまた手が空いた者達は、更に他の戦闘中の味方の加勢に行き、……勝負はすぐに決まることとなるだろう。

いや、わざわざそうするまでもなく、この人数差であれば、皆一瞬で勝負を決めることになるであろう……。

『灼熱の戦乙女』が先に単独で姿を現したのは、女性5人であれば問題とはならないと考え、敵が巫女との合流を邪魔しないと考えたからであろう。

焦らずとも、この人数差であれば手出しを諦めるかもしれないし、いざとなれば女性5人など瞬殺できる。……そしてできれば、無用な死人は出したくない。特に、女性の死人は。

敵の兵士達がそう考えるのは、おかしなことではない。彼らは盗賊というわけではないのだから。

しかし、いきなり大戦力を見せれば、巫女を人質に取るとか、巫女を殺して逃げようとする可能性がある。それを防ぎ、とりあえず自分達が巫女の護衛につけるようにと考えたのであろう。

巫女(エディス)から『4人の兵士に、口封じのために殺されそうになった』と聞いていた『灼熱の戦乙女』としては、その可能性を潰しておくのは、当然のことであろう。

＊　　＊

（マズいな……）

敵の指揮官は少し困っていたが、しかし、そう大きな問題だとは思っていなかった。

彼は、小さな部隊とはいえ、軍隊の指揮官である。

なので、それなりの準備と、それなりの作戦を用意していた。軍隊としての……。


ピ～ッ！


指揮官がポケットから取りだした笛を吹くと、あまり大きくはない、しかしよく通りそうな鋭い音が響いた。

そして……。

木々の中から、30人近い男達が現れた。

皆、ハンターっぽい恰好をしているが、短く刈り上げた頭髪、キビキビした動き、全体的な雰囲気等から、誰が見ても、受ける印象は同じであろう。

……兵士。

それ以外の、何ものでもなかった。

戦力数が、再度、逆転した。しかも敵側の追加戦力は、そのほぼ全てが兵士のようであった。

どうやら、万一に備えて予備兵力を待機させていたようである。

元々、町に侵入させていたのは手持ち兵力の半分のみであり、あとの半分は温存していたらしかった。

仮にも軍の士官である。それくらいの軍略は心得ていたようであった。

……完全に、形勢逆転。

そう思い、敵の指揮官がにやりと笑った時……。

「お前達、大勢で女性を取り囲んで、何をしている！」

「……え？」

少し前に聞いたような気がする怒鳴り声に、指揮官は、声がした方へと、ぎぎぎ、という擬音が聞こえてきそうな動きで首を動かした。

……そしてその目に映ったのは、40人前後、一個小隊くらいの完全装備の兵士達の姿であった。

「私は、ここの領主だ。領主軍の精鋭を率いての夜間訓練に出るところだが、うちの領民達に、何か用でもあるのか？」

（……マズい）

敵の指揮官は、困り果てていた。

いくらハンターの恰好をさせているとはいえ、戦えば、その動きや剣筋から、兵士であることはすぐにバレる。

しかも、ハンターに偽装しているため碌な防具を着けていない下級兵士では、この人数差で、完全装備の領軍の精鋭達相手の戦いでは勝ち目はない。最後まで戦ったとしても大半は殺され、そして残りは捕虜となる。

特殊な訓練を受けた間諜というわけではなく、ただの下級兵達なのである。全員が、拷問に耐えられるとは思えない。

そして自分達の正体を吐けば、他領の兵士が変装して軍事行動を行い、この地の領主が率いる小隊と戦闘行為を行ったという事実が露見する。

領主の暗殺未遂だと思われても、おかしくはない。それは、最低最悪の卑劣な謀略である。

そんなことになると、領同士の争いどころか、国軍が出動してもおかしくはない。

……致命傷である。

そもそも、戦って勝てる人数差ではないし、無事に脱出できる確率は、ゼロである。

かといって、戦いもせずに降伏するわけにもいかない。

軍服を着ておらず、ハンターの恰好をしている自分達には捕虜として扱ってもらえる権利はない。

間諜、通商破壊を行う工作員、暗殺者等として扱われるか、それともただの盗賊団として扱われるか……。

とにかく、正規の兵士としての待遇は期待できそうになかった。

本当に、そのような目的での行動ではないにも拘らず……。

そして自分達の領主が、素直に非を認めたり、賠償金を払って自分達を引き取ってくれたりするはずがなかった。

捨て駒。

そのための、下級兵士達に底辺ハンターとゴロツキ共を加えた、特別編成の部隊なのである。

（どうすべきか……）

領主もまた、考え込んでいた。

この兵力差であれば、敵を殲滅するのは容易い。

しかし、このようなことで大事な兵士達を死なせたり、怪我をさせたりはしたくない。

……ひとりたりとも。

なので、できれば戦うことなく済ませたいが、かといって、この連中を見逃すわけにはいかない。

そんなことをすれば、他領から舐められ、同様のことの再発を招く可能性があるし、領民や領兵達からの信頼を失う。……勿論、ハンターギルドや商業ギルドからの信頼も……。


……そして勿論、カオルも困惑していた。

（いったいどうなってるのよ、この状況！）

両陣営に次々と援軍が現れ、パワーインフレに。

完全に、カオルの想定外であった。

……いや、そもそも、『灼熱の戦乙女』が現れた時点で、既に想定外であったのだが……。

（このままだと、戦いになっても、領主様の方が圧勝するだろう。

……でも、勿論、全員が無傷、っていうわけにはいかない。

これだけの人数が剣で斬り合えば、何人かが死に、そして大勢の怪我人が出る。

確かに兵士はそれを覚悟して就く職業だけど、それは自分達の町を、領地を、国を、そして大切な人達を守るために選んだ職業だ。決して、余所者の『なんちゃって巫女様』の悪だくみに振り回されて死んだり、兵士として働けなくなるような大怪我をするために就いた職業じゃないだろう。

私のせいで、悪党以外の多くの人達の人生を台無しにする？

……できるかあっ!!）

＊　＊

う～ん、ニトロポーションで爆発させるとか、毒物を生成するとかであの連中を全滅させることはできるけれど、下級兵士達は上官の命令に従っているだけであって、別に個人として悪人だというわけじゃないんだよねぇ……。

いや、やってることは悪事なんだけど、それは国の軍隊の兵隊さんと同じであって、上からの命令に逆らうことはできないし、自分達が所属する貴族領の利益のためなんだから、仕事としてやっているわけであって……。

私のポーション能力だと手加減が難しいし、毒物でパタリと倒れて、あとで後遺症もなく復活、というんじゃあ、威圧効果というか恐怖心を与えるというか、とにかく、再発防止のための抑止効果としてはちょっと弱いんだよねぇ……。

それに、それだと『女神の奇跡』になっちゃって、『ほんの僅かな加護』っていうのから逸脱しちゃうしなぁ……。

仕方ない、万一の時のために仕込んでいた、アレを使うか……。

よし、口上（こうじょう）開始！


「追加戦力があると、便利ですよねぇ……」

そう言って、にやりと笑う私。

「……そう。便利だから。……勿論、私も使ってるんですよ……」

よし、ここで……。

「聖女エディスがまだ野良巫女だった頃、王都の南に怪しい貴族が蔓延（はびこ）っていた。その正体は何か。エディスはその連中を殲滅するため、神の国から仮面の天使を呼んだ……」

突然の私の口上に、意味が分からず、ぽかんとした顔で口をあけて固まるみんな。

そして、姿を消して待機していた、アレが現れた。満面の笑みを浮かべて……。


「なまはげ参上！」


……うん、目元を隠す赤い仮面（マスク）を着けて、藁（わら）で作った衣装を纏（まと）った、レイコだ。

「悪い子はいねが～。ワインはビネガ～……」

「「「「「何じゃ、そりゃあああ～～!!」」」」」

勿論、レイコはポーションと、ブレスレットによる光学迷彩の二段構えで、レイコとも新米ハン

ターであるキャンとも違う顔になっている。

だから仮面は目元を隠すだけの簡単なものだけど、まぁ、これは『お約束』というやつだ。

なまはげ……レイコは魔法（おそらく超科学的な作用による）が使えるから、私のニトロポーションより細かい調整が利くし、自然な感じにできる。あまり超常現象っぽくない自然な戦い方で、相手を殺さずに無力化するとかいうのが。

私のニトロポーションだと、何か吹っ飛ばして爆殺しそうだし、麻酔薬とかで眠らせるのも、明らかに超常現象っぽくなっちゃうからねぇ。

アイテムボックスに収納、というのは、論外だ。それこそ、神が介在したと思われるだろう。

……時間が停止するから、収納された本人には何も分からないのであまり問題はないけれど、目撃者が大勢いるというのは、さすがにマズい。

当初の計画通り、私ひとりであれば問題なかったのだけど……。


この町に着いた最初の夜に、当然レイコに連絡して状況を知らせておいたのだ。

私だけで何とかなるとは思ったけれど、物事、『絶対』ということはない。第二案、第三案等の予備の案を用意し、安全策を講じておくのは当然のことだ。

最悪の場合は、恭ちゃんに搭載艇で迎えに来てもらって、『野良巫女エディスは、御使い様に連れられて、天に昇りました』という作戦もある。

この場合、また別の顔と名前で最初からやり直しになるけれど、ノウハウは会得（えとく）したし、『あのエディスの妹』だとか、同じ組織の後輩だとかいうことにすれば、ある程度の評判を引き継ぐこともできるだろうし……。

……あ、今現在は、恭ちゃんにはまだこの件は知らせていない。

恭ちゃんには、なるべく『錦(にしき)の御旗(みはた)』は持たせない方がいいんだ。

……敵味方、みんなの幸せのために……。

そういうわけで、まぁ、仮面の天使、『なまはげ』参上、だ。

ちゃんと、母音を元ネタに合わせてあるので、安心だ。

敵も味方も、『何じゃ、そりゃ！』と思っているだろうけど、これだけの人数が対峙(たいじ)しているところへ、小柄な女性……体格や声、アイマスクで隠れていない顔の部分等から、成人しているかどうかの少女と思われる……がひとり現れたところで、戦局には何の影響もない。

そう思って、敵味方共に、『一瞬、驚いた』以外の反応はない。

……しかしそれは、『なまはげ』が動くまでのことであった。

すたすたと、何の警戒もしていないかのような歩き方で敵の方へと歩いて行く、なまはげ(レイコ)。

いくら限りなく戦力外に近く見える小娘であっても、剣を佩(は)いた者に近寄られては、さすがに警戒する敵兵達。

そしてレイコが剣の柄に手を掛け、すらりと抜いた。

それに対応し、反射的に抜剣する数人の敵兵。

……さすがに、小娘ひとりに対して全員が剣を抜くようなことはない。

もしそうすると、こちら側も全員が剣を抜くことになり、総力戦が始まってしまうことを警戒したのかもしれない。

そしてレイコと敵の距離が縮まり……。

「止まれ！　止まらぬと斬るぞ！　脅しではない。小娘とて、容赦せぬぞ‼」

レイコに一番近い位置にいる敵が、そう警告してきた。

このままだとレイコと最初に接触することになるのだから、その者が警告を発するのは当然だけど、レイコはそんなの気にすることもなく、そのまま近付き……。

「ええい、自業自得だ、俺を恨むなよ！　恨むなら、己の馬鹿さ加減を恨め‼」

そう言って、一歩踏み出し、剣を振るう敵兵。

他の敵兵達は、少女が無意味に惨殺されるのを見るのはあまり好きではないのか、少し視線を外しているみたいだけど、勿論、完全には私達から視線を逸らしていない。

そして、レイコに迫る、敵の剣。

それを受け止めようとレイコの剣が動くが、素人の技術で間に合うわけもなく、敵兵の剣がまともにレイコの左肩に入った。……いわゆる、『袈裟(けさ)切り』である。

（（（（（死んだ‼）））））

皆が、そう思っただろう。

でも……。

　がいん！

敵兵の剣はレイコの肩の少し手前で止まり、レイコがそこにそっと自分の剣を添えた。

「ふはは、そんなハエが止まるような遅い剣、簡単に受け止められるわ！」

「「「「「…………」」」」」

　一瞬、周囲は静寂に包まれ……。

「「「「「何じゃ、そりゃあああぁ～～!!」」」」」

　まぁ、そうなるよねぇ……。

　レイコの剣での受け、全然間に合っていなかったし……。

　でも、味方の一部の人達が、うんうんと頷（うなず）いているのは、なぜ？

　……あ！　もしかして、私が口上で『神の国から仮面の天使を呼んだ』って言ったから、レイコのことを本当に天使、御使い様だと思った？

　そして御使い様なら、あれくらいできて当然、とか？

　あまり大事（おおごと）にはしたくない……って、もう手遅れか……。

　どうして口上で、『神の国』とか『仮面の天使』とか言っちゃったかなぁ……。

　いや、まぁ、元ネタに合わせただけなんだけどね……。

　……仕方ない。

　レイコ……、いや、謎の『なまはげ仮面』は、女神側（ゴッデスサイダー）の人間ということにしよう。

そして、ほんのちょっぴりの加護しかない私ではなく、命を懸けて巫女を護ろうとした敬虔なしもべ達を護るために顕現した……、って、私が口上を述べて呼び出したことになってるじゃん！

あああ、受け狙いでやった口上が足を引っ張って、自分の首を絞めているぅ……。

学習しないから、毎回苦悶（くもん）することになっちゃうんだよなぁ……。

苦悶式学習法。

……って、うるさいわっ!!

そしてレイコは、さすがにさっきのやり方はマズいと思ったのか、やり方を変えた模様。

防護魔法（バリア）だけでなく、身体強化魔法も掛けたみたいだ。

以前、魔法の練習というか、効果確認のための実証作業に付き合わされたことがある。

そして様々な試行錯誤の結果、今の身体強化魔法になったわけだけど……。

筋力強化。反射速度向上。思考速度加速。並列思考。……しかも、防護魔法（バリア）付き。

……無敵やん。

どこのチート野郎か！

そして今度は、再度攻撃してきた敵の剣をちゃんと間に合うように受け、反撃を。

どがぐしゃべきぼこばき

地に沈んだ、敵の兵士。

レイコが持っているのは刃引きの剣らしく、……まぁ、鈍器だ。バールのようなもの、みたいなものである。

なので、腕が斬り落とされたりはしていないし、致命傷にはなっていないようだ。ボコボコだけど……。

ぽかんとした顔で、口を半開きにしてそれを眺める、敵味方。

そしてレイコは、正規兵がまともな戦いにもならず一方的に倒されて動揺している敵の中へと突っ込んでいった。

どがぐしゃべきぼこばき

次々と地に沈む、敵の兵士やハンター、ゴロツキ達。

……圧倒的じゃないか、我が軍は！

そして、今襲い掛かれば敵を殲滅できる絶好のチャンスであるにも拘らず、味方の兵士やハンター達は、誰も動こうとはしていない。

まぁ、いくら攻撃されてもビクともしない御使い様が敵を殲滅してくれているのに、それを邪魔したり、余計な手出しをして死んだり重傷を負ったりしたら、馬鹿馬鹿しいもんねぇ。

御使い様の『聖戦』の邪魔をするのは不敬、とでも考えているのかもしれないし……。

うーん、みんなにも戦いに参加してもらって、『敵はみんなで倒した』ということにしてもらいたいんだけどなぁ……。

でないと、このままじゃあ、『御使い様が敵を殲滅した』ってことになっちゃって、穏便な説明ができなくなる……。

御使い様がほんのちょっぴり御協力くださったけれど、敵の大半は自分達が倒しました、っていうのなら、まぁ、色々と誤魔化しようもある。

……でも、これじゃあなぁ……。

既に、敵の数は残り少なくなっている。

兵士らしき者達は必死で戦っているけれど、身体強化魔法を掛けたレイコには攻撃が当たらないし、もし当たったとしても何の効果もないことは、先程の兵士が実証してしまった。

そして、敵兵達の動きが悪い。

おそらく、『自分達は女神を敵に回したのではないか』という恐怖が、敵兵達の動きを悪くしているのだろう。

……もしかすると、心が折れているのかも……。

ここは、女神が実在し、そして皆がそのことを知っている世界だ。

そしてこの世界の女神は、短気で、容赦がない。

ハンターとゴロツキ達は、既に戦意を喪失したのか、勝敗が決するまで死なずに、重傷も負わないようにと、積極的にレイコに攻撃することなく、防戦一方みたいだ。

まぁ、もし勝ったとしても、女神の怒りを買えばどうなるかは、みんな知ってるからねぇ……。

逃げようとしないだけ、立派……、というか、さすがにこれだけの味方側(こっち)の兵士やハンターがいちゃ、逃がしてはもらえないか。

現在、味方はただ突っ立っているだけだけど、一応、敵を逃がさない位置取りをしている。

さすがに逃げようとする者がいたら、阻止するだろう。それも、言葉による説得とかではなく、剣によって。

それなら、正規兵の大半がやられて指揮官が諦め、自分達の敗北が決定するまで何とか生き延びて、『ただ雇われて、受けた仕事をしただけ』と主張した方がマシか……。

いや、勿論そんな言い訳で無罪になるはずがないけれど、死罪になる確率は、そう高くはないだろう。運が良ければ、20～30年の強制労働で済む可能性も、ないわけじゃない。

そういうわけで、まぁ、勝利はほぼ確実なんだけど……。

う～ん、この始末、どう付けようか……。

第七十九章　黒　幕

地面に転がった、怪我人の山。

一応、みんな死んじゃいない。さすがに、レイコもそこまで鬼じゃない。

生きてさえいれば、ポーションによって後でどうにでも調整できる。

完全治癒、後遺症が残らないようにするけれど骨折はそのまま、死なない程度に治すだけで後遺症が残ろうがどうしようが知ったこっちゃない、その他諸々……。

上からの命令には逆らえない領軍兵士は同情の余地があるけれど、違法行為なのを承知でギルドを通さない依頼を受けた屑ハンターとゴロツキ連中は、どうでもいいよね。

甘い顔を見せると、どうせまた同じような犯罪行為に荷担するに決まってるからねぇ。

両手の親指でも斬りとばしておけば、剣が握れなくなって、犯罪行為もできなくなるかな。

鍬や鋤も握れなくなるから農作業とかもできなくなるけど、背中に背負っての荷物運びとか、店番とかはできるだろう。薬草採取とかもね。

真面目そうな兵士には、ゆっくりだけどちゃんと治るように、ちょっとサービスしてやるか……。

勿論、他の者達にはバレないように、こっそりと、だけど……。

　ま、その辺は、正直に吐くかどうか、反省しているかどうかによるけどね。

　で、それはいいんだけど……。


「「「「「…………」」」」」


　私を見詰める、地元ハンターや領主軍の皆様。

　そして、領主様御本人と、ハンターギルドのギルドマスター。

　……うん、さすがに私にも、分かってる。

　ギルドの魔物間引き活動が、たまたま今日だった、とか、領主軍の特別な夜間訓練が、同じく、偶然にもたまたま今日だった、とかいうのは、ちょ～っとばかし無理があるんじゃないかな～、ということは……。

　レイコは、既に『悪は滅びた！　さらばじゃ!!』とか言って、姿を消している。

　……姿を消しただけで、まだそのあたりで様子を窺っているだろうけど……。

　そして、私が何か言わないと、この膠着状態が永遠に続きそうな気がする、今日この頃……。

　ああ！

　ああああああああっ!!

　くそっ、詰んだか？

　ここで、愛想を振りまくか？　デレるか？

　……詰んデレ。

って、うるさいわっ！

うむむむ……。

「み、皆さん、本日はようこそお越しくださいました！」

あああ、何言ってんだ、私いィ！

「「「「「…………」」」」」

ほら、場が冷えちゃったじゃないかあァ！

（ぶふっ！）

くそっ、レイコのヤツ、姿を消したまま、噴き出してやがる！

「どうやら、巫女である私を助けようとした皆さんが怪我をされないようにと、女神が御使い様をお遣わしになられたようです！　そう、私ではなく、私を助けようとした皆さんを助けるために！」

「「「「「えええええええ？」」」」」

うむ、『私自身は大したことのない雑魚です』作戦だ。

仮面の天使『なまはげ』様は、私を護るためではなく、取るに足らぬひとりの野良巫女を助けようとしてその身を危険に晒した者達のために顕現されたのである！

そして、転がっている敵兵達のところへ行って、と……。

確か、コイツが指揮官だったよね？

襲を摑んで、口を開かせて、と……。

口の中に、自白ポーション作製！　首を上向かせて、ごっくん、と……。

……あ、少し気道に入ったかな？　かなり咽せてる……。

よし、みんなには気付かれていないな……。

そろそろ効いてきたかな？

「誰の手の者ですか？」

「タルトス伯爵……」

「私をどうするつもりだったのですか？」

「伯爵のところへ連れて行く……。嫌がっても、無理矢理連れて行く……。連れて行けない場合は、平民の小娘如きに伯爵の面子を潰されたことが広まらないように、そして他の貴族に囲われないように、殺す……」

「やっぱりねぇ……」

この遣り取りを聞いていた人達が驚いているけれど、それは、敵の指揮官が喋った内容にか、それともあまりにも簡単に自白したことに対してか……。

まぁ、自白ポーションの効果はしばらく続くし、指揮官があっさり吐いた以上、その部下達もみんな吐くだろう。

指揮官が全部喋ったというのに自分が黙秘を続けても何の意味もないし、そんなことをすれば『非協力的。反省の色なし』として、他の者達よりも重い刑罰が与えられることになるだけだ。

……そりゃ、正直に吐くだろう。

さて……。

「じゃ、私はやることができたので、この辺で失礼しますね？」

「……待て！　待ってくれえぇ～～!!」

なんか、帰ろうとしたら、領主様に全力で引き留められた。

「待ってくれ！　黒幕であるタルトス伯爵は、少女の拉致未遂、殺害未遂の犯人として、王宮から捕縛のための警吏を出してもらう！　そして国王陛下の御裁可を仰ぎ、必ずやお家お取り潰し、一族郎党皆殺しの根切り処分といたしますので、どうか私共にお任せを！　何卒（なにとぞ）、何卒、早まったことはあああああぁ～～!!」

……どういう事態だ、これ？

いや、貴族の犯罪を国が処罰するというのは、別におかしなことじゃない。

特に、現行犯であり、これだけの証人がいるとなると……。

それはいい。それは理解できる。

……でも、どうして領主様がそんなに必死になって私に頭を下げる？

それに、私に対する言葉遣いが、途中から敬語になってなかったか？

どうなってるんだよ、本当に……。

＊　＊

ひとりの老女……ではあるが、実年齢から考えると異様に若々しい、まだ初老くらいにしか見えない女性が、一段高くなった席から、跪いた14～15歳くらいに見える少女に話し掛けていた。

「大陸の東岸にある国の領主から、使者が来ました。

御使い様の存在を確認。この大陸を海に沈めたくないならば、女神の守護騎士、エインヘリヤルの派遣を求む、と……」

エインヘリヤル。

それは、世界でただひとり、大陸の守護神、絶対英雄、鬼神フランのみに与えられた称号である。

しかし、今ではフランセットの強大な戦闘力の一部を遺伝として受け継ぎ、そして幼少の頃からフランセット直々の常軌を逸した訓練を受けた戦闘集団の構成員を指す言葉となっていた。

フランセットが、４人の子を成し。

その子供達が、それぞれ４人前後の子を成したとすると……。

子、孫、ひ孫、玄孫。それぞれが、４人、16人、64人、２５６人。

……合計、３４０人。

そしてそのほぼ全員が、存命。

たとえ鬼神フランが寿命を迎えようとも、バルモア王国は安泰であった。

「73年間待ち続けた、女神の守り役。……あなたの番です、ファルセット！」

「ははっ!!」

「……」

「………」

「「…………」」

「どうして行かないのですか？」

フランセットの怪訝そうな顔に、え、という表情で応えるファルセット。

「あ、いえ、神剣エクスグラムをお授けくださると……」

「あれは、私のです！　あなたは、自分でカオル様からいただきなさい!!」

「そ、そんなぁ……」

フランセット、歳を取っているくせに、大人気ない女であった……。

まぁ、さすがに自分の年齢を自覚しているのか、『自分が行く！』と言い出さずに玄孫に譲っただけ、まだマシであろうか……。

そして、年老いたとはいえ、自分が本気で、全力で振るって折れないのは、エクスグラムと４振りの神剣、エクスフロッティだけである。

しかしその４振りの神剣は、カオルから授かった４人の近衛兵が家宝として代々お家に伝えているため、取り上げることなどできない。

なので、フランセットは万一の時には国のために命を捧げ最後の戦いへと赴くために、決して神

ムア——!!

剣エクスグラムを手放そうとはしないのであった。

「……さあ、征(ゆ)くのです、女神の守護騎士、エインヘリヤルの血と名を受け継ぎし者よ！　年老いた我に代わって、女神をお護りするのだ！」

「ははっ!!」


今、ひとりの脳筋が国外へと放たれた。

国内であれば、何百人もいる同類の中のひとりに過ぎない。

……しかし、国外においては、鬼神フランとは比ぶべくもないが、それでも充分に、常軌を逸した戦闘力の持ち主なのであった。

そしてたちが悪いことに、同類達の中で育ったために、本人は自分の能力を『努力して、平均以上の力を身に付けた』とは思っているものの、決してそう突出したものではなく、あくまでも『エインヘリヤルの一員としては、普通』と思っているのであった。

＊　　＊

そして、ひとりの少女が街道を駆ける。

シルバー種の白馬に跨(また)がり、燃える心と使命を帯びて……。

「……あ、はァ、まぁ、国がちゃんと処罰してくれるなら……。

そして、一族郎党とか、根切りとかはしなくてもいいんじゃないかと……。

処罰するのは犯罪行為に関わった人達だけでいいんじゃないかな～、と……」

うん、関係のない人まで処罰する必要はないよね。

爵位剝奪で、家族が平民になるくらいは仕方ないけれど、それは爵位を利用して悪事を働いていた父親のせいだから、仕方ないよね。

職権乱用で犯罪行為を行った父親が、職場をクビになっただけ。

なので、父親が得ていた不当な利益や立場は失うけれど、別に家族にまで罪が及ぶことはない。

……ごく普通のことだよね。

「おお、何と慈悲深い！　爵位剝奪、お家お取り潰しとなっても、妻子は妻の実家に戻るという道もありますし、路頭に迷うということはありますまい。

責はタルトス伯爵本人及び犯罪行為に関わった者達だけに限定し、それらの者の家族や一族郎党にはお咎めなしということであれば、王宮での処分決定も早くなるでしょう。

これ以上はないほどの慈悲を賜りながら執拗に無実を主張した場合、一族郎党にも累が及ぶという通常の処分になりかねないため、一族の者や同じ派閥の擁護派の者達も口出しはしますまい。

犯人達も、妻子が罪を免れるならば、処分に不服を唱えることもないかと……」

なる程、そういうものか……。

しかし、どうしようかな……。

本来の計画では、

1　相手が、自白ポーションを使っても構わない、明らかな犯罪行為をやらかすのを待つ。いくら何でも、まだ何もしていない相手にそういうことをするのは気が引けるからね。……但し、こちらに余裕がない時と、怒っている時、危険回避の時は除く。

2　黒幕を確認する。

3　叩(たた)いて砕く。……鉄の悪魔かっ！

4　同じようなのが湧いて出ないように、あまりあからさまに表に出ないように、『それとなく』事件の情報を流す。『野良巫女には手出しするな』と……。

しかし、1と2は達成したけれど、3と4は領主様に止められた。

そして、王様に報告して、国として正式に処罰する、とか……。

いや、法治国家としては、それが当たり前か。

私がやろうとしていたのは、私的制裁、いわゆるところの、私刑(リンチ)というやつだ。

法が裁いてくれない時ならばともかく、国がちゃんと裁くというなら、私的制裁の出番じゃない。

それに、国がやってくれたなら、強い抑止効果を生むだろう。

何しろ、一介の野良巫女を守るために、国が貴族を処罰するのだ。

それが他の貴族達に与えるインパクトは大きいだろうし、平民達はその英断を絶賛するだろう。

……あ！　もしかすると、王家やまともな貴族達の人心掌握の作戦に利用される？

いや、それは別に悪いことじゃないし、私が狙っていた効果は充分に得られる。それも、これ以上ないくらいに合法的に、円満に……。

これ、もう、私は何もしなくていいんじゃね？

「……では、後のことは全てお任せします。

私は、引き続き巫女としての修行と施し（ほどこし）を続けるため、旅を再開します」

うん、何もしなくても片付くなら、私に対しての態度が何だかちょっと不審なこの町をさっさと出て、旅を続けよう。

「……え、ちょっと待っ……、い、いえ、何でもありません……。（御使い様を引き留めたいという気持ちはあるが、領内に劇薬を抱え込むのは怖い、怖すぎる……。それに、女神の祝福は、ひとつの領地や一国で独占するものではなく、遍く（あまね）分け与えられるべきもの。なので御使い様は、神殿に留まり安楽な生活をすることなく、野良巫女として放浪の旅を続けておられるのであろう……。なので、ここに留まってもらえるわけがないし、それを望むのは、不遜（ふそん）であろう……）」

何か言いかけた領主様は、なぜか私に話し掛けるのは思いとどまった様子だ。

ならば、もう立ち去っても構わないだろう。

もう、辺りは完全に暗くなっている。

でも、ここは町の外れとはいえ、一応は町の範囲内だ。魔物が出てくるようなことはない。

それに、数分も歩けば、家が建ち並ぶところに行ける。ひとりで歩いても、別に問題は……、とか考えていたら、『灼熱の戦乙女』のみんなが駆け寄ってきて、護衛位置に着いてくれた。

……そりゃそうか。私が雇っている護衛なんだから、当たり前だ。

町外れの夜道を歩くのに護衛をしなくて、いつ護衛をするのだ、ってヤツだ。

ま、このまま宿に帰る以外に、行動の選択肢はないよねぇ……。

＊　＊

さて、どうするか。

宿に着いて、『灼熱の戦乙女』のみんなと別れ、それぞれの部屋へ。

そして、最初にするのは……。

「出てこい、レイコ！」

「ホホホッ、ホホホホホ～！」

……うん、お約束の台詞と共に、隠蔽魔法を解除してレイコが姿を現した。

「釣り出しと殲滅はうまくいったけど、後は領主様に掻っ攫われたよ……」

　まぁ、レイコも姿を消して見ていたのだから、知ってるか……。

「『アダルト・ウルフガイ』の前半だけ読まされた、って感じね。そりゃ……」

「「スッキリしないよね～～！」」

「……いや、別に、スッキリするために色々と計画したわけじゃないんだけど、……それでも、まぁ……」

　うん、こういう点では、レイコと私は意見が合う。

　腹が立てば怒るし、不愉快な時はムシャクシャする。

「「ムシャクシャするよね～～!!」」

　素直に、普通の感情を抱くのだ。

　……『悪意なき悪魔』とは違うのだよ、『悪意なき悪魔』とは!!

　今回の件に恭ちゃんを入れなかったのには、それなりの理由があるのだ。

　私もレイコも、不必要に被害者が増えることは望んでいなかった。

　ただ、それだけのことだ……。

「それに、そろそろ限界が近いよね、誰にもちょっかいを出されずに聖女モドキの活動を続けるのも……。

　もうかなり噂になってるから、今後、似たようなのが続出するよね。

　あからさまなのを全部潰すのも面倒だし、まともな貴族や金持ちが丁重に接してきたら、無茶もできないし……」

「うん。どんどん貴族家を潰して回れば、王様も困るだろうしねぇ……」

そうなのだ。

レイコが言う通り、無駄に貴族家を潰して回りたいわけじゃないんだよ、私達は……。

ならば……。

「そろそろ、行っちゃう？」

「行っちゃおうか？」

うん、潮時かもしれないなぁ。

地方での活動による実績作りと売名行為を終えて、そろそろ王都へと進出する……。

「恭ちゃんの方は、店の名も売れてるし、王都にはターヴォラス商会王都支店と、大店であるホークス商会という協力店がある。それと、いざという時には全力で支援してくれる心強い味方、クルト商会が……。

レイコの方は？」

「ランクはCに上がってる。ランク的にはまだまだ『普通のハンター』だけど、ソロで確実に高ランクの魔物を倒し、どんな依頼も着実にこなす少女ハンターとして名が売れてるよ。

拠点の町や周辺地域だけでなく、王都でもある程度は名が知られてるみたい。

……但し、恭子（きょうこ）やカオルみたいに貴族や商人、一般の人達への知名度はなく、ハンターギルドの職員やハンター達の間だけでのことだけど……」

それはまぁ、職種的なものだから、仕方ない。

しかし、その気になれば、恭ちゃんの搭載艇で世界中を飛び回り、卑怯武器で狩りまくった高ランクの魔物や、特殊なセンサーで探し当てて採取した稀少な薬草や鉱石とかを納入すれば、一発で超有名になれるだろう。

……実は、既にそういった品々がかなりの量、アイテムボックスに収納されている。

そうなれば、貴族どころか、王宮からも謁見のお声が掛かる可能性も……。

勿論恭ちゃんも、珍しい品をオークションに出して名を売るのは簡単だ。

3人で狩りまくり集めまくった素材だけでなく、母艦の艦内工場で作ったものとか、私のポ、ポーシ、ヨ、ヨン容器とかもあるし……。

……で、私？

うむ、実は私が一番難しいんだよなぁ……。

いや、『女神の祝福』としてポーションを出せば一発だよ、そりゃ。

でも、それだと大騒ぎになっちゃうから、今のままの『ほんのちょっぴりしかない御加護』っていう設定のままにすると、そんなにインパクトはない……けど、神殿関係者が集って来そうだよなぁ……。

いくら医師や薬師が簡単にそれ以上の治療をしてくれるとはいえ、実際に眼に見える形で『女神の祝福（微）』を賜った少女なんて、寄付集めやら政治的発言やらに利用するための広告塔としては、充分な利用価値があるだろうから……。

……そして今の私達には、それらより大きな問題が控えている。

「今回の件、恭ちゃんに報告しなきゃ、駄目だよねぇ？」

「情報の共有と互いの信頼関係の維持のためには、必須でしょ、勿論……」

「「……………」」

「今回の件でハブったこと、怒られるかな？」

「そりゃ、怒るでしょ。絶対に……。

むしろ、なぜカオルが、ほんの僅かでも『恭子が怒らない』という可能性があるかも、と考えたのか、不思議だよ」

「「……………」」

マズい。

……とてもマズい。

「「どうしよう……」」

第八十章　王都進出

翌日、『灼熱の戦乙女』との契約を解除し、宿を引き払った。

護衛料は、昨夜の活躍を考慮して、かなり色を付けておいた。

そしてハンターギルド、商業ギルド、オーリス商会のダルセンさん達に挨拶をして、町を出た。

行き先は勿論、……適当に、そのあたりの森へ。

そしてレイコとふたりで、狩りをした。

私も一応、何かの時に備えて、レイコのコーチで少し狩りの練習をしておこうと思ったのだ。

……というか、異世界に来てホーン・ラビット狩りを経験しないというのは、ないよねぇ……。

これは、ただの時間潰しだ。

昨夜のうちに恭ちゃんに連絡して、今夜搭載艇で迎えに来てもらうよう頼んでおいたので、それまでの待ち時間なのだ。

さすがに、真っ昼間に、というのは気が引けたので、迎えが来るのは暗くなってからだ。

＊　＊

「何ソレ、酷い！」

予想通り、恭ちゃん、激おこ。

今回の事件の間、恭ちゃんは自分のお店、トレーダー商店にいた。

本拠地には常に大人を、という縛りは、子供達が生活に慣れ、町には『リトルシルバー』の関係者に手を出す者はチンピラやゴロツキ共を含め誰もいなくなったこと、そしてハンターギルドや商業ギルド、一般の町の人達だけでなく、領主様やその配下である領軍や警備隊の皆さんまでもが子供達のことを気に掛けてくださっているため、もう大した危険はないだろうと考えて、解除した。

ムーノさんのところ、ターヴォラス商会の人達も、時々様子を見に行ってくれているし……。

なのでここ数日は、『リトルシルバー』での仕事は子供達だけで回しているのだ。

私達3人のうち誰かが残っていないと子供達が情緒不安定になる件は、かなり改善された。10日くらいなら子供達だけでも大丈夫になっている。

多分、もういきなり見捨てられるという心配がなくなったのだろう。

……というか、自分達だけであればともかく、ハングとバッドを置いたまま私達がいなくなるはずがないと思って、安心しているのかも。孤児である自分達には価値がなくても、一目で名馬だと分かるハングとバッドを置き去りにするはずがない、と確信して。

……いや、まあ、子供達がそれで安心できるならいいんだけどね、どんな理由であろうと……。

そして今、恭ちゃんのお店の２階で、今回のことを報告しているわけなんだけど……、案の定、怒られた。

まぁ、当たり前だよねぇ。

……もし同じ立場なら、私でも怒るよ、そりゃ……。

じゃあ、なぜそれが分かっていながら、恭ちゃんをハブったか？

いや、私もレイコも、無駄に人死にや不幸な人を増やしたくはなかったから……。

やむを得なかったんだよねぇ……。

そして、現状を打破するために……。

「恭ちゃん、そろそろ王都に進出しようと考えているんだけど、どう思う？」

「え？　うん、いいと思うよ！」

うん、恭ちゃんが反対するはずがない。

お店関係で、ひとりでの活動が多かったからねぇ、恭ちゃんだけ……。

なので、早く王都進出作戦に移行して、『リトルシルバー』と王都で、３人一緒に、って考えていたはずだ。

……今まで、ごめん。

「お店の方は、大丈夫？」

「うん、孤児院出の大人を雇っての新しい経営体制で、うまく回ってる。

乗っ取りとかのおかしなことを考えても、私からの商品の供給が止まれば商売は続けられないし、そんなことをすれば、今後誰も孤児院出の者を雇わなくなるからね。強力な抑止効果が働くよ。

だから、何か限度を超えたトラブルが発生しない限り、商品の納入さえ滞らなければ私がいなくても今の体制で大丈夫だと思うよ。

それに、もし私がいない時に何かあったら、孤児院の人達と孤児院出身の人達が全力で護ってくれると思う。

うちの店、孤児院出身者が普通の店で店長や従業員として働くテストケースみたいな形になってるから、後輩達の未来の為に、命を捨ててでも絶対にお店を護ろうとすると思う。

チンピラとかに目を付けられたら、多分一人一殺、差し違えてでも相手を倒すと思う……」

「怖いわっ！　そんな馬鹿な真似はしないよう、ちゃんと教育しておけよっ‼」

本当に、コイツは……。

だから、恭ちゃんを子供達の教育係にはできないんだよ。

……うん、まぁ、雇った店員達の生活もあるし、今のお店をそう簡単に潰すわけにもいかないよねぇ……。

賃貸じゃなく、買い取った、持ち店なんだし……。

ま、恭ちゃんが常駐していなくても、夜中にこっそりと商品の補充をしたり、たまに業務監査をしたり指示を出したりすれば大丈夫みたいだ。

恭ちゃんは、店長ではなく、オーナーとして商品の供給だけやれば、あとは孤児チームに任せても大丈夫、と……。

あの町の商業ギルドがすごく協力的らしくて、従業員が問題を起こしたり、他の店からちょっかいを出されたりしないようにと気を配ってくれているらしい。

……当たりの、いい町を引き当てたみたいだなぁ、恭ちゃん……。

「じゃあ、これからは……」

「『リトルシルバー』と王都で……」

「「「ＫＫＲ、２拠点活動開始!!」」」

＊　　＊

「エインヘリヤルが出撃しました。第五世代（ペンタ）の中で最も初代、真祖に近いと言われている、『脳筋ファルセット』が、名馬フラットに跨（また）がって……。

聖剣エクスグラムは、鬼神が手放さなかった模様。

目標は、大陸東岸で存在が確認された、御使い様とのこと……」

情報部門のリーダーからの報告に、思わず椅子から立ち上がった老人。

「ふざけんな！　俺達がこんなに我慢しているというのに、フラン姉ちゃん、抜け駆けかよっ！

情報部門、戦闘部門、開発部門の幹部と、長老会の全員を集めろ、緊急呼集だ!!」

「はっ！」

「……でも、カオルは自分が目立ったり騒ぎになったりするのは嫌がるだろうからなぁ……。それに、俺達はもう、カオルに守ってもらわなきゃならない弱者じゃない。今はもう、カオルに代わって孤児達を拾い、教育を受けさせて、守ってやる立場だ。

ならば、今の俺達にできることは……」

鬼神フランセットと同じく、実年齢からすると考えられないほど若く見える男……それでも、そこそこの年寄り……が、呟いた。

『女神の眼』の支店を作り、カオルがやらかした時には『驚異的な効果がある薬の出元はうちの店』という欺瞞情報を流して、攪乱するか？

支店の者達には『1本だけ入荷しましたが、売り切れました。薬は本店から送られてくるだけなので、うちでは何も分かりません』とでも言わせればいいか。

何、大陸を横断してこの国まで調べに来るのは難しいだろうし、来たら来たで、俺がたっぷりと教育してやる。『女神カオル真教』の全てをな……。

何だか、大陸の東岸にも、『女神カオル真教』の支部ができそうな気がするしな……」

＊　　＊

「女神様が御降臨なされたと？」

「はっ！　現地では『御使い様』と呼ばれているようですが、鬼神の反応や様々な状況から見て、我らが信仰する女神の御降臨である確率は、かなり高いものと判断されます」

部下からの報告を受け、ベッドに横たわった老人が、はらはらと涙を溢(こぼ)した。

「あれはまだ、儂(わし)が16の時じゃった……。

行き詰まった我が帝国が賭けに出た、２方面からの奇襲によるバルモア王国侵攻作戦。

当時、まだ下っ端の新兵じゃった儂は……」

年寄りの昔語りが始まってしまった。

こうなると、先が長い……。

「……というわけなのじゃ……」

ようやく、終わったようである。

「海軍の司令長官と、主立(おもだ)った海運会社の商会長達を呼べ。

理由は、大陸東岸への交易航路拡大とでも言え。

……今こそ、我が国の大恩人、女神カオル様に御恩返しをする時ぞ！

ああ、まさか生きている間に、この儂に、このような僥倖(ぎょうこう)が訪れようとは……。

おお、女神よ！　おお、おお、おお!!」

しかし老人は、そこで、ふと真顔に戻った。

「……女神は、表立った場所に出ることは嫌がられていたと聞く……。

これは、行動には細心の注意を払い、陰から密かにお守りするべきか……」

＊　＊

「総本山からの連絡便が届きました」

執事からの報告に、怪訝(けげん)そうな顔をする老女。

「ん？　定期連絡の時期ではないし、荷が届く予定もない……。

臨時便ですか？」

「はい、緊急便です」

「なっ！　読み上げなさい！」

鬼神や『女神の眼』のメンバー達とは違い、『健康』とかいう効果ではなく、『ちょっとした能力の付与』という効果しかないポーションを飲んだだけの少女は、普通に順当な歳の取り方をし、……今では『妖怪』とか『神仙』とか呼ばれるような見た目になっている。

そして視力も衰えてきたため、小さな文字で書かれたものは、執事に読ませているのであった。

総本山から緊急便が来たのは、数ヵ月前に来た『あの知らせ』を除けば、もう何年も前のことになる。それくらい、滅多に来ることのないものなのである。

なので、今、このタイミングで来たということは、その内容は……。

そして、執事が緊急便の内容を読み上げた。

「発、総本山統括、エミール・ナガセ。宛て、レイフェル女伯爵。

本文、『二度目の休暇に来られた方の居場所を確認。鬼神が抜け駆けをして、若きエインヘリヤルを一騎、派出。我、「眼」、「耳」、「口」を派遣し、当該場所に支店を作らんとす。目立つ行動は慎まれたし』、以上です！」

執事が読み上げた緊急便の内容に、キラキラと瞳を輝かせる老女。

まだまだ元気そうではあるが、この世界においては、かなりの高齢である。

しかし、今の彼女の表情は、何歳も若返ったかのように見えた。

「……来た……。

キタキタキタキタキタキタキタキタキタあぁ～～!!

女神様、我がレイフェル伯爵家の全力をもって、御恩返しをいたします！

一族の緊急会議を行います。各家の当主を集めなさい！

それと、ドリヴェル子爵家にも知らせを。呼ばないと、後でうるさいでしょうから……」

そして、ピイィ～、と指笛を鳴らす、老女。

その後すぐに、ドアから部屋に入ってきた犬と、窓から飛び込んできた小鳥。

そしてその双方に指示を出す、老女。

『レイフェル伯爵領軍犬軍大隊、指揮犬呼集！』

【レイフェル伯爵領軍鳥軍大隊、指揮鳥呼集！】

そして、それぞれこくりと頷き、部屋を飛び出す犬と小鳥。

老女が妖怪や神仙呼ばわりされるのは、決して、高齢だけがその理由ではなかった。

「『眼』と『耳』だけでなく、『口』も送るということは、情報収集だけではなく、情報操作や世論誘導も行うつもりだということですか。

……そして『目立つ行動は慎まれたし』ということは、目立たないい、いい、い行動なら、慎、慎まなく、く、てい、い、いいいということですね……。

さすがエミール、私のことがよく分かっているじゃないですか……。

ふふ。

ふふふ。

ふふふふふふふふ……。

まさか、天界や来世ではなく、今世で御恩返しができようとは、何たる僥倖でしょうか！

さすがにこの老体では長旅も戦働きもできませんが、……私に代わって、我が子孫達が……。

ふふ。ふふふふふふふ……」

老女の嬉しそうな笑い声が続き、それを聞いている執事もまた、嬉しそうな顔をしていた。

貴族家の執事たる者、勿論、お家の歴史には精通しており、また、主人の恩人についても、当然熟知している。

……というか、そもそも、執事も主人と同じく、『女神カオル真教』の信者なのであった……。

＊　＊

「……というわけで、私とレイコも『リトルシルバー』を留守にしていたわけだけど……」

「『リトルシルバー』は、10日くらいは私達が留守にしても大丈夫だからね。

でも、それ以上子供達だけにすると……」

「「「また、情緒不安定に陥る……」」」

そうなのだ。

普段は異常なまでにしっかりしているのに、なぜか私達大人勢が全員いなくなると、精神的な脆弱性が出るんだよねぇ……。

ムーノさんのところの従業員に泊まり込んでもらったりもしたのだけど、私達3人の誰かが残っていないと駄目みたいなんだ。

でも、これでもかなりマシになったんだよなぁ。

最初の頃は、私達が地下の秘密司令部で飲み明かして潰れ、そのまま寝過ごした時とか、自分達が朝起きたら私達全員がいないと知って、捨てられた、と勘違いしてパニックに陥って、大騒ぎになっちゃってたからなぁ……。

今は、自分達が捨てられて置いてけぼりになることはあっても、名馬2頭を置いていくことはないだろう、と思っているのか、私達が不在であっても、少しは落ち着けるようになったのだ。

……『少し』、ね。

それでも、10日以上は保たないんだよねぇ……。

これじゃあ、いつまで経っても自立させられないよ。

依存させすぎたかなぁ。

困った……。

でもあの子達は、私達が気紛れで拾ったというわけじゃなく、元々あそこに住んでいた、元住人だから、面倒をみることにしたんだよなぁ。こちらにも、色々とメリットがあったしね。

だから、今後も関係ない孤児達を受け入れるつもりはないから、これ以上子供達の人数が増えることはない。なので、子供達の半数がここでの成人年齢である15歳を超えれば、どこかに借家でも借りて独立させようかなと思ってるんだ。

勿論、ちゃんと仕事は世話するよ。

私達にとっては、たかだか数年間くらい、何てことはない。

多少面倒でも、数年間、面倒みてやるか……。

でも、その間に、あの依存性を何とか矯正しなきゃなぁ……。

「……とにかく、王都では、前回確保した貸し家を拠点にするよ。落ち合ったり寝泊まりしたりするのは、あそこを使う。

でも、都合によっては、宿屋に泊まったりもするけどね」

あそこは、王都の中心街からやや離れた、閑静な住宅街だ。

隣家からは少し離れており、深夜にステルス・無音モードで重力制御によりゆっくり降下する小型連絡艇なら、見つかることなく乗降できる……と思う。

どうしても必要な時以外は、やらないけどね。

普段は、少し離れたところにある森の中で乗り降りするつもりだ。適当な空き地を見つけて。

手頃な場所がなければ、作ればいいしね。……空き地。

ビームか何かで、軽くひと撫で。

広い森の中に、ちょっとした木々の切れ目があっても、そう不思議じゃないだろう。

「お店は？」

「まだ、時期尚早。本気でチート商品を並べれば一気に名が売れるし、同じく一気に羽虫が集ってくるから、それはある程度の自衛……他の有力者をバリアとして使うのを『自衛』と言っていいのかどうか分かんないけど、まぁ、そういうのを排除できるようになってからね」

恭ちゃんの質問に、レイコが眼鏡を直しながら、そう答えた。

「分かった！」

恭ちゃんも、別に急いで王都でお店を開きたいというわけじゃないのだろう。

あの町で開いている、自分が初めて持ったお店に愛着があるだろうし、雇った従業員に対しての責任もある。

……いや、この国じゃあ、被雇用者の権利なんか殆ど認められていないから、その日に解雇を言い渡しても構わないし、退職金なんかも必要ないらしいけどね。

まぁ、大店とかだと、慰労金だとか一時金だとかもあるらしいけれど、そんなのはごく一部だとか……。

少なくとも、零細商店にはそんなの関係ないらしい。

でも、恭ちゃんに、一度拾い上げた孤児達を突き放すような真似ができるはずないよねぇ。

恭ちゃんがあの店を手放す時は、多分店と経営権を孤児院に譲渡するだろう。

……恭ちゃんってのは、そういうヤツだ。

「それで、とりあえずの活動方針は？」

うん、恭ちゃんが聞いてきた、ソレが問題だ。

「お店は、良さそうな物件があるか確認するだけで、まだ何もしない。もし目を付けてた物件が売れても、気にしない。どの程度の物件が出回っているか、相場を把握するだけ。

王都にうちの商品を流すのは、しばらくの間はホークス商会本店を介して実施。

それによって、他の商会に手出しされないようにしつつ、商品の出元としてトレーダー商店の名前を売る。

ターヴォラス商会は、私達の本拠地である『リトルシルバー』の所在地がバレないよう、この件には関わらせない。

あ、クルト商会……商会主が改心したところ……にも、少し商品を回してあげようか。

大店2店にあからさまに敵対しようとするところは、あまりないだろうからね。

ムーノさん達の雇い主だったレリナス商会は、スルー。ムーノさん達も、あの次男以外には別に怨みはないそうだし、次男は既に報いを受けているからね。

トレーダー商店は、あの町での小売りに関しては雇われ店長に采配を任せて、現状維持。

トレーダー商店がある町は王都から遠いし、あそこは町ぐるみで守ってくれるようなので、あまり心配なさそうだからね。

まぁ、あの店自体は、いくら調べられても何の情報も得られないから、従業員の身の安全さえ確保できればいいよ。商品くらい、盗まれたってどうってことないからね。

恭ちゃんは、特別商品（母艦製）と普通（この世界製）の商品の仕入れと、王都の2店に卸すことを担当してね。あ、勿論、トレーダー商店の分もね。

レイコは、今、形だけの拠点にしている町のギルドやハンター達に挨拶して、『王都に拠点を移す』と宣伝してから、所属を王都支部に移す予定だよ。

レイコの特異性は、あの町のギルド支部やハンター達を通じて既に王都のハンターやギルド支部にも伝わっているとのことだから、そのまま評判を引き継いで、Bランク昇格を目指してもらう。

……勿論、珍しいものの納入や、高ランクの魔物の売却とかで、急速に名を上げつつ……。

レイコは、王都に顔を出す時は借りてる家を使ってもらおうかな。

そして私は……」

レイコと恭ちゃんが、私の言葉を待つ。

うん、実はこれが一番難しいのだ。

ショボすぎれば、相手にされないか、キワモノ扱い。

そして一定のラインを越えちゃうと、大聖女か、下手をすると御使い様扱いで第一シーズンの二の舞か、囲い込まれて軟禁同然に。

さては軟禁、玉すだれ！　……って、うるさいわっ！

とにかく、それを回避するためには……。

「女神の加護を、バージョンアップする！」

「「えええええ！」」

ふたりが驚くのも、無理はない。

当初の予定から大きく外れるからねぇ、それって……。

「いや、ちょっと無理があったんだよ、『ほんのちょっぴりの、女神の加護』っていう設定に……。

たとえほんのちょっぴりでも、女神……、セレスの加護があるとなると、それだけでもう『ちょっぴり』じゃなくなっちゃうみたいなんだよねぇ……。

神殿側にとっちゃあ、大聖女に祭り上げて、という恰好の神輿だし、貴族にとっても、女神の御寵愛を賜りし娘、ってことで、起こせる奇跡は医師や薬師以下でショボくても、宣伝効果は抜群だから……。

もし何かあっても、セレスが私を護るついでに側にいる者達も護ってくれるかも、とかいう期待もあるかもしれないし……」

そう。あの町の領主様やその他の人達の不自然な行動は、そう考えたからに違いない。

それがこの世界の地元の人々の標準的な考え方だとすると、現在の設定である『女神からほんのちょっぴりの加護を賜った少女』というのは、私が思っていたのとは違い、かなりのインパクトがある存在だというわけだ。

……そんなの、王都に入った途端、真っ直ぐに王宮か神殿に連れて行かれるじゃん……。

「いや、だって、3人のうちでこの世界のことに一番詳しいカオルが考えた設定だったよね？　何年もこの世界で暮らしていたのだから、そのあたりの読みは大丈夫、って言ってたよね？」

恭ちゃんがそんなことを言ってきたけれど……。

「ふっ、認めたくないものだな、自分自身の若さゆえの過ちというものを……」

「「じゃかましいわっ!!」」

……怒られた……。

「……でも、加護が大きくなったら、ますますそれが酷くなるんじゃないの？」

恭ちゃんがそんなことを聞いてきたけれど……。

「いや、対外的な『ショボい加護しかない』っていう設定は、そのまま。

バージョンアップのお知らせは、ごく一部の人達にしか明かさないよ。

一般の人達にとっては、あくまでも私は『残念巫女』か『残念聖女』。

そして一部の権力者にとってのみ、『触るな危険』ということに……。

そうすれば、必要な時には『バージョンアップ版』の私のことを知っている上の方の人達が、私にちょっかいを出そうとした連中を牽制したり、阻止したりして、色々と手助けしてくれるはずだよ。

いよいよとなれば、悲しそうな顔をして、『またひとつ、大陸が海に沈む……』とか呟いてあげれば……」

「鬼かッ！」

「『ここもじき深い（海）に沈む』みたいに言うなっ!!」

……そういうわけで、路線変更！

野良巫女から聖女、そして大聖女になる予定だった私が、普段はぽんこつ野良巫女、そしてある時は女神の御寵愛を受けし聖女として、王都での……、いや、この国での影響力を保持するのだ。

「せっかく築き上げた野良巫女エディスの名声を無駄にするのは勿体ないからね。平民の間でのそのイメージは継続しよう。

そして、エディス、キャン、サラエットの3人は、互いに見知らぬ者同士。

最初は、王都でも私達は互いに交流はないという設定で動き、早めに何かのイベントで知り合い、交流が、っていう設定にする予定だったし……。

そして、知り合って仲良くなった3人が、借家で共同生活をするようになる、と……」

……そう、私達は元々の仲間同士ではなく、『最近ここで知り合っただけ』という体裁をとるのである。

最初から3人が仲間だったら、あからさまに怪しいもんねぇ……。

同年代で、特異な能力や珍しい商品を持つ少女達が、同時期に同じ国に現れる。

これで関係を疑わなきゃ、馬鹿だよねぇ……。

なので、3人の出会いのエピソードを作るわけだ。

そうすれば、以後、3人一緒に行動していてもおかしくないからね。

でないと、王都では一切接触できないままになっちゃうもんね。

「……まぁ、他にいい案もないし、カオルの好きにやってよ。

最悪の場合、他国や他の大陸に行ってやり直してもいいんだからね。

子供達も、恭子が小型のクルーザーでも出して『新型の帆なし船』だってことにすれば、疑問を抱かれることもなく運べるし……」

え？

レイコ、何言ってるんだ？

「あの～、レイコ、子供達はみんな、恭ちゃんの搭載艇のこと、知ってるよね？

恭ちゃんと再会した後、みんなで乗って帰ったよね、『リトルシルバー』まで……」

「あ……」

私達3人のうちで一番頭のいいレイコでも、失敗することはある。

でも、3人で知恵と力と勇気を合わせれば、どんなことでも、何とかなるなる！

＊　＊

……王都である。

正確には、その外側。

街全体が大きな壁に囲まれた、城郭都市（じょうかくとし）である王都に入るために、街門に並んでいる人々の列の中にいるわけだ。

別に全ての王都民の出入門記録が取られているわけじゃなし、レイコの魔法や恭ちゃんの連絡艇で夜中にこっそり、ということでも別に構わないけれど、その程度のことでふたりの手を煩（わずら）わせるのも悪いし、万一の場合に備えて、ここはちゃんと街門を通過したという事実を作っておいた方がいいからね。

あれからみんなで『リトルシルバー』に戻り、爆発寸前の子供達に構いまくって、何とか沈静化。

こまめに相手しないと、爆弾マークが段々大きくなって……、って、昔の恋愛シミュレーションゲームかいっ！

みんなの目が、たまに真剣になって……。

『ときどき目がリアル』

……って、うるさいわっ！

とにかく、その後1週間くらい構い倒して充分満足させてやってから、レイコを残して私ひとりで王都に来たわけだ。

恭ちゃんは、トレーダー商店へと戻っていった。

さすがに、まだ必要もないのに長期間お店を不在にするのは、ちょっと心配らしい。

早く、雇われ店長と店員達の３人で安定して回せるようにしてね。

……本当は、普通の商品は雇われ店長が通常のルートで自分で仕入れて、恭ちゃんは少量の特殊な商品だけを供給するようにしたいらしいけどね。

うん、ズルによって存続するんじゃなくて、そのうち、恭ちゃんのサポートがなくても自力でやっていけるように……。

一応、恭ちゃんも先のことを考えてはいるんだ。


さて、王都に来て、私がまず最初にやることは……。

よし、とりあえず孤児院に入れていない孤児達の溜まり場へ行こう！

そう、野良巫女といえば、孤児の救済！　定番だ。

……とか考えていたら……。

「名前と身分と目的は？」

私の番が来て、退屈して疲れたような顔の門番さんが、必要最低限の言葉でそう尋ねてきた。

いや、毎日何百回も何千回も同じことを聞き続けるんだ、そりゃ極限まで省力化に努めるよねぇ。

でないと、やってらんないだろう。

写真がないこの世界じゃあ、余程大きな特徴のある者でないと、指名手配犯かどうかなんて分かるわけがない。

他国の間諜（かんちょう）とかも、別に暗号の換字表とか小型通信機とか万年筆型の超小型拳銃とかを隠し持っているわけじゃないんだ。調べても分かるわけがない。

パスポートや通行手形なんかないし、手書きの書類なんか門番に偽造かどうかなんて分かるわけがないよ。

だから、王都への出入りがフリーパス、ってわけにはいかないから門番がいるけれど、余程怪しい風体（ふうてい）の者以外は、素通しなのだろう。

こんなに大勢の出入者を、いちいち時間をかけて調べられるわけがない。

門番さんが言った『身分』というのは、別に貴族とか王族とかいうヤツではなく、商人とかハンターとか農民とかの、そういった区分のことだろう。

当たり前か。そもそも貴族や王族は、平民用の列に並んだりはしないからね。

なので、素直に答えた。

「自由巫女、エディスです。布教と奉仕活動の旅の途中で、休養と資金調達に……」

王都内での布教（カネあつめ）は神殿勢力が幅を利かせているため、自由巫女は王都内ではあまり大っぴらには活動しない。

しかし、情報収集や休養、出資者（スポンサー）やパトロンとの顔繋ぎ（かおつな）等で王都に立ち寄るのは、ごく普通のことだ。

……ちなみに、『野良巫女』というのはあくまでも自嘲を込めての自称であり、他者がそう呼ぶのは、悪意があり馬鹿にした言い方をする時だけである。

正式には、神殿勢力とは関係のない流れの巫女は『自由巫女』と呼ばれる。

公式な場以外でそんな呼び方をする者は、殆どいないが。

「ああ、野良……自由巫女様か。御苦労様。王都でゆっくり休んで……、エディス？

あ、いや、自由巫女様と行商の者には、各地の様子を聞いて報告することになっているのでした！

すみませんが、詰所の方で少しお話を伺いたいのですが……」

ありゃ。

平民であっても巫女は尊敬される職業だから、元々ちゃんとした応対だったけれど、途中で急に慌てたような様子になって、更に丁寧な扱いになったぞ……。

敬虔な信徒なのか、自分達の都合で時間を取らせることを申し訳なく思っているのか、それとも私が非協力的な態度を取ると面倒なことになると思って下手に出ているだけなのか……。

まあ、言っていることは分かる。

行商人とか野良巫女……自由巫女は、村々を巡って地元の人達と交流する職業だ。兵士や役人が行って調査した時には口が堅い村人達も、色々と本音の話をしてくれる。

なので、為政者が地方の人々の本当の状況を知りたいならば、そういう方法を取るのは悪くないだろう。

下々のことなど全く気にしない貴族や王族が多い中、それは立派な方策だろう。

……あまりにも酷い施政で、一揆や謀叛を起こされないかと心配で、ということじゃなければ、だけどね……。

まぁ、今まで見た限りじゃそんな様子はなかったから、安心かな。

「おい、何をしている！　例の件、さっさと報告に行かないか！」

「……え？　あ、は、はい、申し訳ありません！　直ちに‼」

ありゃ、指示されていた仕事を忘れていたらしい下っ端の人が、私を案内してくれている人に叱られて、慌てて飛び出して行ったよ。

どこの世界でも、下っ端は辛いねぇ……。

＊　＊

あれから、門番チームの班長……ここの数人の門番の中で一番上位の、纏め役……の人に色々なことを聞かれた。

回ってきたルートだとか、様子のおかしい村、変わった事象、違和感を覚えたことはなかったか等の、当然聞かれるであろうこと。

……そして、私の個人情報も。

年齢、出身地、実家について、好きな食べ物、婚約者はいるのか、その他諸々。

お見合いかっ！

いや、それとも、私に気がある？

うむむむ……。


しかし、長いよ！

自由巫女はともかく、行商人とかは結構大勢いるよね？

その全員に、こんなに時間をかけるの？

そして、中年のおっさんにも、好きな食べ物や婚約者の有無を聞くの？

おかしいだろうがっ！

……とか考えていると、ドアが開き、数人の男達が詰所の中へ入ってきた。

「お待たせいたしました」

何か、騎士っぽいの、キタ～～!!

「王宮へ御案内いたします。どうぞ、馬車へ」

何じゃ、そりゃあああ～～!!

私、何かおかしなことを言っちゃったか？

とんでもない失言とかがあったか？　王家を侮辱する言葉とか、体制側を批判する言葉とか……。

心当たりはないぞ……。

それに、罪人を捕らえるにしては、派遣されてきた人の階級が高すぎるし、態度が丁重すぎる。

馬車も、立派なやつだし。

どうして……。

……あ。

さっきの、下っ端の報告か！

あれがこの人達を呼ぶためのものだったとすれば、事情聴取における私の失言とかは無関係だ。

報告のための伝令が出るまでに私が与えた情報は、私が野良巫女……自由巫女であることと、名前と、王都に来た目的が休養と資金調達であるということだけだ。

自由巫女としては、ごく普通の、ありふれたことばかり。

他の自由巫女達と違うところなんかない。違うのなんて、せいぜい名前くらい……。

って、それかあああぁっっ!!

『ほんのちょっぴり女神の加護を受けた、野良巫女エディス』、バージョンアップしなくても、いきなり上から確保に来たんかいっっ!!

＊　＊

「よく来てくれた、巫女エディス！」

うん、まぁ、神殿ではなく王宮(こっち)の方にとっては、巫女が神殿派閥であろうが無所属(フリー)であろうが、関係ないか。『巫女』という点では変わらないからねぇ。

……って、そんなことはないか。

神殿勢力上層部の言いなりになる神殿巫女か、それを嫌って神殿に所属せず、劣悪な環境の中で自力で活動している自由巫女(のら)か。

他の勢力が取り込むのに都合がいいのは、どちらか。

そして、お金が集められる都市部でのみ活動する神殿巫女と、危険を冒してど田舎まで足を運び、無料……せいぜい、宿泊場所と食べ物の提供くらい……で祈禱(きとう)してくれる自由巫女(のら)。

一般民衆に人気があるのは、どちらか。

まぁ、同じ女神セレスティーヌの信徒を名乗っていながら、神殿側が自由巫女達を快く思っていないことから、それは明らかだ。

さすがに、神殿側も非力な自由巫女達と敵対したり嫌がらせをしたりするような大人気(おとなげ)ない真似はしていないらしいけれど……。

恥という概念があったか、それとも自由巫女に手を出すと民衆からの反発が起きるかも、とでも考えたからか……。

「……で、何の御用でしょうか?」

「「「「「……………」」」」」

私が頭も下げずにそう言うと、周りにいる人達に、怖い顔で睨(にら)まれた。声を掛けてきた人も含めて……。

よく来てくれたも何も、有無を言わせず連行してきただけじゃん。

そして、一応はちゃんとした声を掛けてくれたけれど、こっちが畏(かしこ)まった態度を取らなかったら、これだ。

だから、この連中には塩対応だ。

これで、ちょっと様子見。

いや、聖職者は俗世の身分や権力とは無縁、ってことになってるんだよね、一応。

勿論、それは建前であって、実際にはそんなことはないんだけど、一応は、そういうことになってる。

女神のしもべである聖職者がただの人間より下位であるはずがない、ということだ。

王族や貴族の身分なんか、人間が勝手に決めたことであって、女神には何の関係もないからね。

これは神殿勢力が王宮や貴族の言いなりにならないための最大の武器なので、表立ってこれを否定する者には、神殿勢力の総攻撃が加えられる。

……勿論、武力ではなく、政治的なもの、民衆を扇動してのものとかで。

その貴族の領地産のものの不買運動。

その領地出身の者へのあからさまな冷遇。

女神に喧嘩を売った背信者、という扱いになるわけだ。一族郎党のみならず、領民や、同じ派閥の人達も、みんな。

単一宗教しかない世界で、これは効く。

なので、『巫女である私が忠誠を誓い、頭を下げるのは女神とその眷属の方々に対してのみ』という私の態度は、誰にも責められない。

……普通は、そんな態度を取る自由巫女はいないけどね！

みんな、自分の身が可愛いし、無用な危険を冒したり、余計な敵を作ったりはしたくないし、そもそも、そんな馬鹿じゃないから。

でも、私は違う。

これからのことを考えると、貴族や王族達の言いなりになって、ペコペコと頭を下げるわけにはいかないんだよね。

……それに、私がそんなことをすると、セレスに申し訳が立たない。

ほんの僅かであってもセレスの御加護がある者が、貴族や王族の奴隷になるわけにはいかないのだ。

それは、セレスが認めた人間が、その他の有象無象より格下だということになってしまうから。

それをちゃんと認識していれば、いくら貴族でも私に対してこんな態度は取らないはずなんだけどなぁ……。

……見たところ、ここには王族っぽい者は見当たらない。

そりゃそうだ。いくら何でも、身元不明の平民に、いきなり王族が会うはずがない。

ここにいる6人の男達……私の後ろにいる騎士ふたりは員数外……は、貴族か平民の上級官僚あたりかなぁ。

様子から見て、本当に私がセレスの加護（ちょっぴり）を受けていると信じているわけじゃなくて、『そういうことにして、利用するだけ』みたいだな。

信じていなくて利用する気がなけりゃ、私を呼び出すはずがない。

信じていれば、こんな態度は取らない。

だから、『信じていなくて、利用する気』一択だ。

こっちは小娘なんだ、形だけでも取り繕って、信じてる振りをしろよ！

いくらちょっと生意気な態度を取ったからといって、これから利用しようとしている相手に、初っ端から不信感や警戒心を抱かせて、どうするよ……。

「……少し甘い顔をして下手に出てやれば、小娘風情が付け上がりおって……。

聖女とか御使いとかを騙ればどうなるか、分かっておるのか！

縛り首になりたくなければ、儂らの言うことを聞いて……」

「あ、私、そんなこと一度も言ったことありませんよ。誰からそんなデマを聞かされたんですか？」

「……え？」

「いえ、ですから私はほんのちょっぴり女神の御加護をいただいているだけのただの自由巫女ですから、そんな大それたことを言うはずがありませんよ。

縛り首にするなら、皆さんにそんなデマを吹き込んだ人にしてくださいよ！」

「「「「「…………」」」」」

うむうむ、困ってる困ってる……。

「うるさい！　お前は黙って……」

ばぁん！

ありゃ、部屋のドアが乱暴に開けられて、何やら偉そうな人と、警備兵らしき人が数人、入ってきたぞ……。

「きっ、貴様達、何をしている！　巫女様を勝手にお呼びして、陛下の御前に御案内することもなく、このような粗末な場所で、いったい何をしておるのだ!!」

「え……」

「さ、宰相閣下が、なぜ……」

おや？　王様の次くらいに偉い人？

それなら、大臣とか侯爵、公爵クラスの貴族でないと、頭が上がらないか……。

「巫女様、とんでもない御無礼をいたしました！　すぐにご休憩の部屋を用意いたしますので、とりあえず貴賓室の方へ……。

せっかく王宮へと足をお運びになられたのですから、陛下とお会いになられますか？

王女殿下や王子殿下達と御一緒に、王宮内のご見学など、如何でございましょうか？」

「「「「「ええええええええ～～っっ!!」」」」」

必死で平静を保っている護衛兵以外のみんな……勿論、私も含む……が、驚愕の叫びを上げた。

……ない。

いくら自由巫女が聖職者であり敬われてもおかしくないとはいえ、それはないだろう!!

「な、ななな……」

私を呼び出したグループのリーダー役の人が、信じられない、というような顔で、ぷるぷると震えている。

いや、私も同じ思いだよ！

どうして宰相なんて偉い人が、いくら聖職者である巫女だからといっても、ただの平民の小娘にこんな態度を……。絶対におかしいだろう！

そりゃ、私が『ほんのちょっぴりの加護付き』だって噂は聞いているかもしれないよ？

でも、ちゃんと確認もせずに、いきなりコレか？

まだ、噂を信じずに舐めた態度を取ってくれた、この6人の行動の方が理解できるよ！

「では、どうぞこちらへ……。

あ、皆は指示があるまでここで待機しているように。

お前達は、ここで皆の護衛をするように」

「「はっ！」」

……え？

どうして護衛兵にそんな指示を？

ここ、王宮の中だよね？

どうしてここで待っているだけの貴族の皆さんに、護衛が必要？

分からん……。

まぁ、何か理由があるのだろう。庶民には分からない理由が……。

＊　＊

宰相とカオルが去った後の部屋に残った、6人の貴族とふたりの兵士。
貴族達は顔色が悪く、そう暑いわけでもないのに、汗びっしょりであった。

「「「「「「…………」」」」」」

喋(しゃべ)りたい。

これはいったい、どういうことなのか。

自分達は、何をしてしまったのか。

宰相があの平民の小娘の案内を終えた後、自分達に何を話すつもりなのか。

そしてその前に、皆で相談し、口裏合わせをしなければならない。

そう考えはするが、しかし、それを阻止するための、このふたりの兵士なのであろう。

護衛などと白々しいことを言った宰相であるが、ここで、いったい何から護るというのか。

口裏合わせの相談をしようにも、この兵士から宰相へと話が筒抜けになるのは間違いない。

なので、肝心なことは何も話せないが、聞かれても支障のない話は構わないであろう。

そう考え、皆は慎重に言葉を選んで喋り始めた。

「……いったい、どういうことだ？　宰相はなぜ平民の小娘に対してあんなに下手(したて)に出るのだ？」

「我々が、いったい何をしたというのだ？　少し名が売れてきた平民の野良巫女を王宮に招いてやり、出資者（スポンサー）となって世話をしてやろうとしただけだぞ。別に手を出そうとか不埒（ふらち）なことを考えていたわけではない。

そもそも、手を出すならひとりでやるわい。それも、もっと魅力的な女を……。

何が悲しゅーて、あんな貧相な体つきの平民の小娘をお前達と共有せねばならんのだ！」

仲間のひとりが口にした言葉に、うんうんと頷く他の５人。

これは非常に説得力がある話であるし、宰相に伝わっても問題ない。

見張り役の兵士達も納得する話であろうし、事実、この貴族達は12～13歳くらいに見える少女にそう酷いことをするつもりはなかったのである。

女神の加護をほんの少し賜ったとかいう触れ込みの小娘を少し脅して、少し優しくして、自分達の言うことを聞くようにする。

……勿論、本当は女神の加護などないことは承知しているが、本人がそう主張しており、民衆がそれを信じているのであれば、敢（あ）えてそれを否定する必要はない。

もし後で嘘（うそ）が露見しても、敬虔な信者である自分達も小娘が言うことを信じていただけだと言えば、何の責任を問われることもない。

いや、小娘自身も嘘を吐（つ）いているという自覚はなく、本当にそう信じているのであろう。

女神セレスティーヌの加護があるなどという嘘を吐けば、いつ女神本人が現れて神罰を与えられるか分かったものではない。……あの、割と無慈悲な女神セレスティーヌに……。

あんな小娘に、そんな危険を冒すだけの勇気があるとはとても思えない。

とにかく、うまく小娘を言いくるめ、その後神殿と繋ぎを取り、聖女に認定されるよう手を回す。

そして小娘をうまく利用して神殿とのコネと民衆への影響力を手に入れる。

……あとは、そこそこ稼がせてもらう。

小娘も、聖女様になれていい目を見ることができる。

自分達も、小娘も、神殿も、民衆も、皆が幸せになれる。割を食う者は誰もいない。

『みんなで幸せになろうね』計画。

何恥じることのない、正しき行いである。

……そのはずである。

なのに、なぜこんなことに？

不思議なのは、宰相の行動だけである。

あの小娘の無礼な態度は、自分が女神の加護を受けたと思い込んだ、無知で礼儀知らずな跳ねっ返りの小娘の愚かな行動であり、別に理解に苦しむようなことではない。

しかし、宰相のあの態度は、どうにも理解できなかった。

聡明（そうめい）な宰相が平民の小娘の虚言に惑わされるとは思えないし、もしそうであったとしても、神殿のトップと対等にやり合える宰相なのである、いくら女神の加護を受けた者が相手であっても、あそこまでへりくだった態度を取るとは思えなかった。

……いくら考えても、分からない。

しかし、見張りの兵士がいるため、他の者との突っ込んだ本音の話はできない。

そして、後程行われるであろう宰相との話が『良い話』であるとは思えない。

この兵士達は、おそらく自分達が逃げないように見張るためのものであろうから……。

＊　＊

紅茶と高価そうな茶菓子を宛がわれて、貴賓室とやらで少し待たされていたら、宰相さんがやってきた。……数人の男性達と、お菓子やティーセットを載せたワゴンを押す数人のメイドさん達と一緒に。

休憩のための部屋に案内してくれるのと違うんかいっ！

「お待たせいたしました。こちら、国王陛下と大臣、文官達でございます。是非、エディス様とお顔合わせを、と……」

何じゃ、そりゃあああ！

というか、王様、王冠は被ってないんかい！　それじゃあ、分からんわっ！

……まぁ、普段からずっとあんなもの被っていたら、邪魔だし俯くと落ちそうだし、首や肩が凝るよなぁ……。髪にも悪そうだし。

そりゃ、儀式か何かの時しか被らないか。

＊　＊

何を言われるのかとビクビクしていたけれど、王様達とは軽く世間話をした程度。

実家のこととかを聞かれたけれど、『巫女としての活動に、俗世での身分や家族は関係ありません』と言ったら、それ以上はしつこく聞かれなかった。

天涯孤独、ってことにすると、後ろ盾のない平民だと思われて色々と良からぬことを考えられちゃいそうな気がしたから、そこはボカした。

それに、家族がいないとなると、お金に困っていないという今までの設定とも矛盾しちゃうしね。

そして帰り際（ぎわ）に、『何か、少しでも困ったことがあれば、いつでも相談しに来なさい。門番に名乗れば、すぐに案内の者が行くよう手配しておこう』って言われた。

何コレ！　ここの王様、平民の巫女……いや、実家が太いって誤解させるようにはしているけれど、それでも、王様がただの野良巫女にしてくれるような配慮じゃないよ！

人格者の、いい王様だ！

こりゃ、おかしな貴族や金持ちに絡まれても、公僕を頼れば何とかなるかも？

……いやいや、油断は禁物か。

いくら組織のトップがいい人であっても、中間や下っ端は悪事に手を染めていたり、賄賂で悪党に便宜を図ったりしているかもしれない。

でも、ま、トップがいい人なら、安全度はかなり増す。

よし、ここがいい国で良かった！

＊　＊

「あまりお怒りではなかったようで、良かったですな……」

国王や宰相を始め、国の重鎮達が集まった会議室で、密談が行われていた。

そして、宰相のその言葉に……。

「うむ。馬鹿貴族共がとんでもないことをしでかしたと知った時には、心臓が止まるかと思ったぞ……。大事(だいじ)なく済んで、本当に良かった……。

儂(わし)は、女神を怒らせた時に責任を取って斬首刑になるくらいは構わぬが、大陸を滅ぼし海に沈めた大罪人として後世に名を残すのだけは嫌だ……」

国王の言葉に、ここに集まっている者達は皆、うんうんと頷いた。

「……しかし、馬も乗り手も次々と替えての特急便で知らせを送ってくれた領主、我が国を、いや、この大陸を救った、大手柄じゃな。勲章と、何か褒賞を考えておいてくれ。

事情が事情だけに、あまり大っぴらに理由を公表するわけにはいかんが、この功績を無下にするわけにはいくまい。

その町のハンターギルド支部と商業ギルドにも、何らかの褒賞を与えよう。

いや、事件が起こったのがまともな領主、まともなギルド支部がある町で、本当によかった……。

ああ、御使い……、いやいや、敬虔なる女神のしもべである自由巫女の少女を襲ったというその貴族家は潰せ！」

「はっ！」

それ以外の選択肢はなかった。

それと、勝手な事をして大陸の危機を招いた、あの馬鹿貴族達の処罰についても、考える必要がある。

宰相は色々と忙しくなるが、祖国を、そしてこの大陸を守るというこれ以上ないやり甲斐(がい)のある仕事を前に、背中に掛かった責任の重圧を感じると共に、心が滾(たぎ)り、高揚を覚えるのであった……。

＊　＊

あの日、挨拶に来た野良巫女エディスから町を出ると聞いた領主は、これからどこへ行くのかということをさり気なく尋ねた。

そして深くは考えずに『王都へ向かうつもりです』と答えたエディス。

領主は、エディスが辞去するやいなや、馬も乗り手も次々と替えて全力で飛ばす、カネに糸目を付けない特急便の準備を命じると共に、大急ぎで手紙を書き始めた。

……宛名は、国王陛下である。

ルールだとか儀礼だとか非礼だとか言っている場合ではない。

下手をすれば、大陸が海に沈む。

それはもう、必死で書いた。

書き損じたからといって、書き直す時間はない。

棒線で修正し、そのまま書き続けた。

それは、とても国王陛下に出せるようなものではなかった。

……しかし、体裁を気にして間に合わず、国を、大陸を滅ぼすことを思えば、自分が恥を晒すことなど、どうでもいい。

そう思い、必死で書き続けた。

そして、国王陛下への手紙と、次々と交代する乗り手に読ませるための指示書を書き、最初の乗り手に自分でそれらを手渡して色々と説明し、その出発を確認した後、……ベッドに倒れ込んだ。

疲労感と、この大陸は自分が守った、という深い満足感に包まれて……。

＊　　＊

「なっ！　なななな!!」

その手紙を読んだ国王が、思わず声を漏らした。

それは、とある地方領主からの緊急連絡であった。

……しかも、『親展』である。

国王宛の手紙であっても、普通は事務方が開封して中身を確認、分別して処理をする。

別に、全てを国王自身が開封するというわけではない。

中には国王が読む価値のないものがあるし、形式上は国王宛ではあるものの実際には官僚達が処理すべきものが大半だからである。

しかし、『親展』というのは、宛先人本人が開封すべし、という意味である。

普通、国王にそんなものを出すのは、個人的な友人か遠方で暮らす家族くらいであろう。

その他の差出人からであれば、『親展』の文字を無視して事務方が開封してもおかしくはない。

……というか、普通、そうするであろう。

しかし、差出人が領主であること、特急便であることから、何かを感じた担当者がそれを直接宰相に届け、国王へと手渡されたのであった。


「お、お前も読め！」

「は、はぁ……」

その手紙を国王から手渡され、読み始めた宰相。

そして……。

「なあっ!!」

思わず上げげた、叫び声。

「大臣達を集めろ！　緊急召集だ！」

「はっ‼」

＊　＊

「……というわけだ。何か質問はあるか？」

とある地方領主から送られてきた手紙……報告書について説明した後、この国の首脳陣を見渡す国王。

「……あの、その報告の信憑性(しんぴょうせい)は……」

大臣のひとりが、そう質問した。

「うむ、勿論、それが重要なところだ。

……皆は、『御使い記』を読んでおるな？」

こくりと頷く、召集された者達。

『御使い記』

それは、侯爵家以上の者が家督(かとく)を継いで家長となった時と、大臣や軍司令官等の国の重職に就いた時に読まされる、神話……のように思える、一冊の調査記録書であった。

女神セレスティーヌに関しての書物や記録書は、たくさんある。

それこそ、幼児用の絵本から学術書、聖書に至るまで、数限りなく……。

その内の、ここ70年少々の間に書かれたものの中には、『聖女カオル』、『御使いカオル』、そしてごく一部のものには『女神カオル』という名が出てくる。

それは、70年と少し前に現れたという、聖人の名である。

ただの巫女ではなく、女神セレスティーヌの友人であり、その加護を賜り多くの奇跡を起こしたと伝えられる。

そして悪党によって理不尽にもたらされたその死に際して、怒り狂いこの大陸を海に沈めようとした女神セレスティーヌを往復ビンタで黙らせて阻止したという、大陸の守護者、絶対英雄、エインヘリヤルの鬼神フラン。

今でも、子供の躾に『駄々をこねていると、鬼神フランが往復ビンタをしに来るよ！』と言えば、泣く子も黙るという。

そして多くの記録や伝承の中で、その信憑性において他の書物とは一線を画する、各国の指導者層にのみ伝えられるという特一級機密文書、『御使い記』。

その中の一節、『カオル様語録・女神編』。


『セレスは別に人間の守護神ってわけじゃないよ。人間の姿をしているのは、人間相手に話すため。犬や猫と話す時には、それに合わせた姿にするよ、多分』

『セレスの仕事は、世界全体の調和を守り、歪みを早期に排除すること。余程気に入った者を除き、人間なんかいくら死のうが気にしないよ。まぁ、人間が庭のアリンコに対して抱く程度の感情はあるかも。大量に死にそうなら、気紛れで忠告してくれるときもあるかもね』

『ムカついたからというだけで、国を滅ぼしたことがあるって言ってた』

『私には長生きして欲しいみたい。だから、私に手出ししちゃ駄目だよ。国が滅ぶよ?』

そして事実、御使いカオル様が入滅された時には、国どころか大陸ごと滅びるところであった。もし、あのエインヘリヤル、鬼神フランの往復ビンタがなければ……。

「おおお、讃えよフラン、大陸の守護者! 絶対英雄、鬼神フラン! 魔の手から人々を守り給え!」

「「「「「フラン、オー、フラン! フラン、オー、フラン!!」」」」」

国王の突然の祈りの言葉に、他の者達もその思考過程を推察したのか、祈りの言葉を唱和した。

「その『御使い記』に書かれている内容。そして、『カオル様は御使いではなく、女神セレスティーヌの友人の、他の世界を管理している女神である』と主張する、『女神カオル真教』。

多くの派生宗派のひとつに過ぎんが、その母体が御使いカオル様に育てられた孤児達だからな。

カオル様を御使いではなく女神に祭り上げたいという気持ちは分かるし、その部分を差し引けば、あそこが出したカオル様関連の書物の正確さは信用できる。

そして、それら全てを検討した結果、あまりにも類似点が多すぎる。

つまり……」

そして国王は、カッと眼を見開いて叫んだ。

「エディスという少女は、数十年振りに現れた、女神セレスティーヌの御寵愛を賜る愛し子(いとしご)であり、新たなる御使い様である!!

但し、御使い様は皆に騒がれるのはお好きではないらしく、御自分ではお立場をお隠しになられている……つもりであらせられるとのこと。

なので当然ながら、我らもその御意思を尊重し、……御使い様の存在は知らぬこととする。

……但し。

但し、御使い様が御不快になられたり、我が国をお見限りになって他国へと出て行かれることは、決してあってはならぬ。良いな!!」

「「「「おおおおお！　エディス、オー、エディス！　エディス、オー、エディス!!」」」」

斯(か)くして、『自分達はまさか御使い様であるなどとは思ってもいない、ただの野良巫女の少女』が王都に来た場合の準備が着々と整えられたのであった……。

＊　＊

宿を取って、ひと休み。

王都に確保している借家は、今は使えない。

王宮からの帰りに尾行が付いている可能性があるから、私が王都に家を借りているなんて矛盾が露見するのはマズいからね。

今は、休養と資金調達のために王都に立ち寄っただけの、ただの野良巫女の振りをしなきゃね。

……あ、資金調達の実績を作るために、宝石をいくつか売るか……。

まだ現金は充分あるけれど、設定はきちんと守らなきゃなぁ。

王宮に呼ばれて王様に会ったけれど、ただの野良巫女に対する激励くらいで、大したことはなかった。

私を無理矢理王宮に連れ込んだ連中の件の謝罪代わりに、『王様と会って、話をした』っていう箔付け（はくづけ）をしてくれたのだろうな、多分。

普通、野良巫女にとってそんな機会なんかあるもんじゃないだろうから。

……いい王様だなぁ……。

ここは第一シーズン（アイテムボックス前）に私が色々とやらかした場所からは大陸を横断しての反対側だし、あれから74年も経っているんだ。

テレビや新聞があるわけでなし、噂が大陸を横断するまでには完全に変容して全くの別物になっているだろうし、当時の記録文書とかは倉庫の奥で埃（ほこり）を被って埋もれているだろう。

それに、当時正確な情報を知る立場であった大人で、今現在生きていたり、元気に出歩いている者なんか、殆どいないだろうし。

　おまけに、超弱小宗派である『女神カオル真教』以外の宗派では私は人間だということになっているし、この世界には写真はない。

　なので私が昔のままの姿で生きているなんて考える者はいないし、私の顔は、超美化されて殆ど原形を留めていない絵しか残っていないのだ。

　……あの、カオルン硬貨に彫られているようなやつね。

　あれじゃあ、誰も私だとは気付かないよ！

　それに、現代日本において、いくら見た目が多少似ていたからって、街を歩いていたらいきなり『あなた、卑弥呼(ひみこ)様ですよね！』なんて話し掛けてくる奴はいないだろう。

　この国で、いきなり『あなた、御使いカオル様ですよね！』って話し掛けるということは、それと同じだ。自分の正気を疑われたくなければ、まず、そんなことをする奴はいないだろう。

　私を王宮に呼び付けた連中は、多分宰相さんが叱ってくれているだろうし……。

　あと、気を付けなきゃいけないのは、私を手の者に襲わせた、あの黒幕の貴族だ。

　ええと、確か……、そうそう、『タルトス伯爵』だ！

　自白剤を使って喋らせたから、間違いない。

　これが雇われたチンピラの証言なら、依頼主が名を騙ったという可能性もあるけれど、子飼いの領兵の自白だから、間違いない。

　領主さんが『必ず処分する』って言ってたけど、別にタルトス伯爵はあの領主さんの部下ってわけじゃないからなぁ……。

逆に、向こうの方が国での立場が上で、どうにもならないってこともあり得る。

そもそも、たかが野良巫女ひとりのために、貴族が他の貴族家に全面戦争を仕掛けるか？

……ちょっと、望み薄だよなぁ……。

あの場で私の機嫌を取るためだけの、リップサービスに過ぎないと考えた方が良さそうだ。

さすがに王都だと、大人数での襲撃とかはできないだろうけど……。

宿屋で寝込みを襲うか、夜道で裏路地に引きずり込むか、それとも貴族として正面からのゴリ押しで来るか……。

まぁ、私を殺すために奇襲するわけじゃないだろうから、あまり心配はしていないけどね。遠くから弓矢でヘッドショットとか、いきなり心臓をグサリとかじゃなくて、時間的余裕さえあれば、何とでもなる。


……明日は、宝石を売りに行こう。

王都に来た理由を『休養と資金調達』って説明したから、怪しまれないためにはその両方をこなしておかなきゃね。

それに、王都だと宝石を買い取ってくれる店が多いし、買い取り価格も地方都市よりは期待できるだろう。

うむうむ……。

＊　＊

「しっしっ！　ここは貧乏人が来るような店じゃないんだ。うろつかれると店のイメージが悪くなるから、近付くな！」

「残飯が欲しいなら、裏口へ回れ！」


うひゃ〜、態度悪(わり)ぃ！

別に、托鉢(たくはつ)に来たわけじゃないっつーの！

いくら平民だからって、そして野良巫女は貧乏なのが相場だとはいえ、一応は聖職者だぞ？

しかも、建前上のボスは、あのセレスってことになってるんだぞ？


宝石を売ろうと思って宝飾店を回れば、これだ。

地方都市では、ここまで酷くは……、って、そうか！

地方では、金目当ての神殿関係者はかなり嫌われていて、格安で葬儀の祈りや祭事での祝詞(のりと)、病気退散の祈りとかをやってくれる野良巫女は重宝されてる。

それに対して、王都は神殿勢力が強くて、野良巫女はぞんざいに扱われてるんだ……。

それに、今の私の服は、地方巡回用の、俗に言うところの『野良巫女服』だ。安くて丈夫なやつ。

よし、宿に戻って着替えよう！

＊　＊

「う～ん、これは金貨8枚と小金貨3枚。こっちのは、金貨7枚ですね……」

「あ、そうですか。お邪魔しました～！」

「え？　あ、いや、ちょっと！　ちょっと待って!!」

金持ちっぽい服に着替えたら、ちゃんと相手をしてくれるようにはなった。

しかし、見た目と年齢、そして宝石を買うならともかく売るとなると、完全に足元を見られて、馬鹿安価格を提示された。

なので、さっさと離脱。

舐めた査定をしてくれたところは、相手にしないよ。

その2倍の価格なら私もうんと言ったし、それでもお店はかなりの儲け(もう)が出ただろう。

まぁ、私が相場も知らない馬鹿じゃないと分かれば、それなりの値を付けてくれたかもしれない。

でも、客を見た目で舐めて掛かり、常識外れの買い取り価格を提示するような不誠実な店は、相手にしない。たとえ、後で他店より良い値を付けてきたとしても、だ。

だから、最初の価格提示で一発アウト。

後ろから、大慌てで引き留めようとする声が聞こえるけれど、スルーだ、スルー！

ま、個人の店なんだから、どんな値を付けようが、店主の自由だ。半分公的な組織である商業ギルドとは違うのだから。

そして、私が宝石をどの店に売り、どの店に売らないかを決めるのも、私の自由だ。

商業ギルドへ売りに行くのは、あまり気が進まない。前回で、充分懲りたよ。

おそらく、王都の商業ギルドならばまともな値を付けてくれるだろうとは思うけれど、商業ギルドで売れば情報が漏れるのはほぼ確実だろうし、色々と面倒なことになりそうな気がするからね。

なので、普通の商店で少しだけ捌きたいのだ。

資金の調達をしたという既成事実だけ作れればいいんだ。

……但し、私が馬鹿でカモだとは思われず、悪党に利することのないようにして、ね。

よし、次行こ、次！

＊　＊

「金貨11枚でございますね」

「金貨8枚と小金貨5枚ですね」

「勉強させていただきまして、金貨9枚と小金貨5枚に、更に銀貨6枚！」

うがぁぁ～～!!

世間知らずの子供だと思って、どいつもこいつも……。

「次が駄目だったら、こちらにも考えがあるぞ……」

そして、とりあえず最後にするつもりで向かった店は……。

「買い取りを御希望ですか？　では、奥でお話を伺いましょう」

うん、いい服に着替えて神具のアクセサリーを着けてからは、一応、話は聞いてもらえるようになったんだよねぇ。

そして、奥に通されて……。

「主任、旦那様がお呼びです」

何か、女性店員が私の相手をしてくれている人を呼びに来た。

「今、お客様を御案内しているんだ。少しお待ちいただくよう伝えてくれ」

「いいえ、どうしても今すぐに、ということです。大急ぎで。

少し聞きたいことがあるだけだそうで、すぐ済むとのことです。最優先、との御指示で……」

「何、最優先だと！

……まことに申し訳ありませんが、少しお待ちください。

おい、すぐにお茶と茶菓子をお出しして！」

まぁ、商売人には、突発的な急ぎの用件ができることもあるだろう。

それも、商店主からの急用とあらば、仕方ない。私も、勤め人の苦労くらい知っている。

なので、お気になさらず、と言って軽く手を振っておいた。


……そして数分後。

戻ってきた主任さんは、何だか少し顔色が悪い。

あまり良い話じゃなかったのかな。

まぁ、私には関係のないことなので、どうしようもない。

とにかく、宝石を手渡し、鑑定してもらったところ……。

「……金貨24枚と小金貨4枚。こちらは、金貨21枚と小金貨2……、いや、3枚ですね……」

おお！　こちらの予想価格からプラマイ小金貨数枚の範囲内！

勿論、お店の利益も勘案しての予想価格なので、お店の小売価格よりはかなり安いけれど。

「売った!!」

よしよし、王都でも、良心的なお店、ゲットだぜ！

＊　＊

バタン
スッ
ガッ

「……というわけで、裏口から飛び込んで大急ぎで店主を呼び、店主から担当者に『損をする価格にはしなくていいから、誠実な、良心的な価格で買い取れ。王命である！』と伝えてもらい、事無きを得ることができました。

いやぁ、隠れ護衛から『宝飾店がことごとく不誠実な査定をするため、資金調達を図っておられる巫女様が御立腹。次が駄目だったらこちらにも考えがあるぞ、と呟かれた』との報告を受けた時には、どうしようかと思いましたぞ……。

あんなに本気で走ったのは、何十年振りですかな……」

「御苦労であった、宰相。次の即応待機当番閣僚は、財務大臣であったな。今日はもう帰り、ゆっくり休んでくれ」

「ははっ、ありがたきお言葉！

では、久し振りに孫の顔を見て参ります」

「うむ。子供達のためにも、決してこの大陸を海に沈めたりはさせぬぞ！」

「ははっ！」

第八十一章　神　殿

資金調達も、小粒の人造宝石を3個売って、完了。

これで、王都に来た表向きの用件は、無事、ミッション・コンプリート。

あとは、4～5日のんびりして、お土産を買って帰るか……。

次は、レイコがCランクハンターとしてやって来て、王都支部所属のハンターとして活躍だ。

とりあえずBランクを目指す、ってとこかな。

その時には、借りてる家を使ってもらおう。

それと併行して、恭ちゃんには少し不思議で珍しいいいいい商品を王都向けに売ってもらおうかな。

＊　　＊

欲深い宝飾店のせいで危機に陥りかけたこの大陸であるが、私の大活躍のおかげで、その危機は回避された。

……私が、この国を。この大陸を護ったのだ!!

ふふ。

ふふふふふ……。

しかし、心配なのは、神殿のことである。

先代の御使い様は、神殿とはあまり良好な関係ではなかったと言われている。

それは、皆に広く認識されている。

……『神殿関係者以外の、皆』には。

それも当然であろう。

先代の御使い様は、あまり御自分が目立つことをお好みではなかったらしい。

そして神殿の者達は、御使い様を担ぎ上げて利用し、人気取り、喜捨の金額の増加、そして自分達の出世や栄華を目論んでいたらしいのだ、信じがたいことに……。

なので御使い様がそれらの者達から距離を取ろうとされたのは、当然のことであろう。

しかし、神殿自身は都合の悪いことは後世に伝えようとはせず、そして当然ながら若き神官候補達への教育でも、それについては触れられていない。

なので、王侯貴族や一般民衆が知っていることでも、神官達は知らない、ということがいくつかあり、先代の御使い様と神殿との距離感もまた、そのうちのひとつなのである。

神殿の者達は、一部の者を除き、自分達が御使い様に距離を置かれていたことを知らないし、自分達が無条件で受け入れられるものと信じて疑わないのである。

今回の御使い様がどうお考えなのかは分からぬが、野良巫女をされているということから、自ずと答えは見えておるよのぅ……。

そもそも、女神セレスティーヌと直接会話できる御使い様が、なぜ神殿の者達の話を聞いたり指図されたりせねばならぬのか！

人間達が勝手に決めた教皇とか枢機卿とかいう肩書きが、女神が御自分で選ばれた愛し子より格上で、偉そうに命令することができるとでも？

なので、今回の御使い様が神殿所属ではなく、女神とその眷属以外の何者の命も聞く必要のない自由なお立場である『自由巫女』、通称『野良巫女』として活動されているのは、至極当然のことであろう。

御使い様が下手に神殿に取り込まれたりすれば、神殿側が慢心して政やら民草の生活やらに無用な口出しをしたり、喜捨の強要を始めたりしかねない。

なので、御使い様のことは神殿側には伝えていないのであるが、……長い間隠し通すのは無理であろうなぁ……。

貴族の中には、信心深い……と言えば聞こえは良いが、国政や民草の幸せよりも宗教を優先したり、神殿から色々と便宜を図ってもらえることと引き換えに情報を流したりする者もいる。

それが悪いことだとは思っておらず、女神のために尽くした見返りとして与えられる祝福だなどと思っているらしいのだから、タチが悪い。

まだ、賄賂を貰って情報を売っている、と自覚している悪党の方が、数百倍マシである。

それに、御使い様がそのお力を示されたという、あの地方領。

そこには、一般の住民、ハンター、商人達がおり、その中には口の軽い者、他国の者、そして情報が金になるということを知っている者達がいる。

……情報が広まるのは、防ぎようがないであろう。

そしてそれが、真に正しい情報であればともかく、不確かなもの……、たとえば、『怪我人や病人を治せる』という情報だけで、『下手に手出しすると、大陸の危機を招く』という肝心の部分が抜けているだとか、思いのままに操れる馬鹿な小娘だとかいう噂であった場合。

……大陸が、海に沈む。

いや、御使い様が生きておられるのだから、それはないか。

そんなことをすれば、御使い様とその大切な人々も死んでしまう。

いくら大雑把で考えの足りない女神セレスティーヌ様であっても、さすがにそんなことは……。

いや、御使い様とその周囲の人々だけを他の大陸へと運び、この大陸を……。

いや。

いやいやいやいやいや!!

そのようなことは、決してあってはならぬ！

この私が、宰相として。

いや、この大陸に生きる者のひとりとして、必ずや阻止してみせる！

私が、この命を捧げ、鬼神フラン様のあとに続くのだ!!

＊　＊

「お客様にお会いしたいという方が来られているのですが……」

宿の女将さんがそう伝えに来てくれたけれど、今の私に会いに来るような者に、心当たりはない。

そりゃ、ターヴォラス商会の王都支店とか、例の診療所関係とかに知り合いはいるけれど、その連中は私が今、王都にいることは知らないし、この宿にいることも知らないはずだし……。

「誰ですか、その、私に会いたいと言っている人は？」

「神殿の、神官様達です」

「あ～……」

どこで聞きつけてきた？

そして、どういう話を聞いてきたんだ？

まぁ、歪みまくった上に尾ひれが付いた、トンデモ話だろうけど……。

ショボい加護に過ぎなくても聖女とかに祭り上げて利用するつもりなのか、道具としていいように利用して使い潰すつもりなのか……。

でも、神殿勢力といえば、私にはあのルエダの連中しか思い浮かばない。

……つまり、嫌悪感が先に立って、関わりたくないってことだ。

いや、中には、純粋にセレスを崇めて人々を救いたいって考えている神官とかもいるとは思うよ？

清貧な生活をしている神官とか、貧民区で炊き出しや支援活動をしている人達もいるし……。

でも、そういう人達は、王都に来て1日しか経っていない野良巫女のところに数人で徒党を組んで押し掛けてきたりはしないと思う。

女将さん、さっき神官様達って言ったよね。

小娘ひとりと話をするのに、どうして大勢で押し掛ける必要があるっていうんだよ。

そんなの、無理強いや拉致のためとしか思えないよ！

「私、王都の神官に知り合いはいません。

それに、見ての通り、私は野良巫女ですよ？　神殿の連中には良く思われていません。

どうせ、難癖をつけてお金を巻き上げようとか、どこかに連れ込んで、とかいう魂胆に違いありませんよ。

旅の疲れで寝込んでいる、ということでお願いします」

「はい、分かりました！」

宿泊客に会わせろ、と言ってねじ込んでくる客には、慣れているのだろう。

そして、相手がいくら権力者であっても、ある程度は宿泊客を守ってくれるのであろう。

……いい宿だ。

まあ、さすがに相手が警吏であったり王宮の騎士であったりした場合は無理だろうけど、神官を蹴ってくれるというだけで、充分誠意があり頼りになる宿だ。

……お風呂もあるし。

さすがに、女性ひとりでの宿泊だから、雑魚寝や相部屋が当然の安宿は勿論、普通の宿も避けて、少しランクの高い宿にしたんだよね。別にお金に不自由しているわけじゃないから。

そして、それが正解だったというわけだ。

ある程度の安全と安心は、お金で買えるんだよねぇ……。


……とか考えていたら、階下で何やら騒ぎが……。

タイミング的に、件の神官連中がゴネているのだろうなぁ……。

でも、わざわざそんなところに私が顔を出す必要はないよね。

そんなことをすると、ますます大事になっちゃうだろうし。

ここは、こういうのには手慣れているであろう宿の人に任せよう。

宗教関連はタチが悪いからねぇ。特に、狂信者とか……。

いや、教祖様どころか、狂信者持ちの信仰の対象者本人が言うのだから、説得力は充分だろう！


……階下の騒ぎがなかなか終わらないと思っていたら、なんだか様子が……。

どうやら、神官達が強行突破に出たみたいだ。

さすがに、宿の人も神官を力尽くで取り押さえたり排除したりはできないみたいだ。

……というか、そういう場合を想定して、神官側が連れているのは腕っ節の強い連中なのかも。

宿の方も、タチの悪い客やこういうのに備えて、警備員代わりのちょっと強面の従業員がひとりふたりいるかもしれないけれど、別に傭兵やハンターを雇っているわけじゃないだろう。

神殿側には、荒事や非合法なことをやらせるための神官兵や陰の機関とかもあるだろうし。

……あるよね？

ほら、ヘルシング機関とか、イスカリオテ機関とか、ああいうやつだ。

日本でも、僧兵とかがいたしね。

宗教家が兵隊やってどうするよ……。

とにかく、宿の人達の制止を無理矢理振り切って階段を上がっているらしく、宿の人の必死の叫び声と階段を上がってくる音が聞こえてきた。

……これって、完全に不法侵入で、営業妨害じゃないの？　威力業務妨害とか……。

よし、そっちがそう来るならば……。

上着を脱いで、シャツのボタンを上からふたつ外して、肩を少し出して、と……。


そしていきなり、声掛けもなくドアが開けられた。

「巫女様、お話が……」

「きゃあああああ～～！

着替えをしていたら、知らない男達が大勢部屋に押し入ってきましたあぁ！

強盗です！　誘拐犯です！　婦女暴行ですぅぅ～～!!」

ドアを開けられた瞬間、思い切り大声で叫んでやった。詳しい状況説明付きで……。

「え？　あ？　あわわ！

いや、そんなつもりは！　我々は神殿の……」

「きゃあああ！　凶悪犯罪者達が、神殿の者だと名乗っていますぅ！　罪を神官様達に擦り付けようとしているのか、本当に神官様達が集団で野良巫女を襲おうとして宿屋の部屋に押し入ってきたのか、そのどちらなのかが非常に気になりますううぅ～～!!」

必死に叫んでいる割には、何だかやけに落ち着いている上、説明口調。

でも、そんなことを気にする者はいないだろう。

「い、いや、我々はそのようなことは！　落ち着いて！　静かにしてください！」

「嫌あぁぁ！　静かにしろと命令されましたあぁ！　近付かないでええぇ!!」

相手の言うことは、一切聞かない。

ただ、いきなり襲われた恐怖に震えるだけで、相手とは会話しない。

これだと、向こうはどうしようもないだろう。

窓を開けた宿屋の２階で、若い女性のよく通る声で叫ぶと、当然ながらかなりの広範囲に声が届く。

そしてここは高級宿であり、それはすなわち、町の中心部にあるということである。

それが意味することは……。

「動くな！　不法侵入と婦女暴行の現行犯で、逮捕する!!」

そう怒鳴りながら、武装した男達が雪崩れ込んできた。

うん、警備隊の本部がすぐ近くにあるということだよね。

……いや、それにしても、ちょっと早すぎない？

まだ、最初に悲鳴を上げてから、30秒くらいしか経ってないぞ？

＊　＊

「……では、たまたまこの宿の隣に、警備隊詰所ができた、と……」

「はい。本部と詰所は役割が違いますので、迅速な出動のためには、いくら本部の近くであっても即応性に勝る詰所は必要であろう、ということになりまして……」

「おお、民のことを考慮した、素晴らしい施策です！」

驚いたことに、この宿の隣に、たまたま警備隊の詰所が新設されたばかりだったらしい。

そして、これが初出動だとか……。

詰所勤務の皆さん、張り切っていたわけだ。

神官達は、いつになく強硬な警備兵の皆さんの態度に驚いていたみたいだけど、こっちは、着替えの最中に複数の男達に部屋に押し入られた、未成年に見える少女だぞ。神官だからといって大目に見てもらえる限度を完全に超えているだろうが……。

セレスの信徒は、セレスを敬っているのであって、別に神官を敬っているわけじゃない。

逆に、セレスの名の下に悪事を働く神官は、破戒神官であり、神敵だ。

罪を犯した警吏が普通より強く叩かれるのと同じで、神官もまた、こういう時にはバッシングが強くて当然だろう。

そして、普通であれば仲間の不祥事は隠蔽し揉み消すであろう神殿側も、ここまで大々的に騒がれちゃあ、もはや隠蔽は不可能だろう。

それも、いくら仲が良くないとはいえ、同じ女神セレスティーヌを信仰する同志であるはずの野良巫女、しかも未成年に見える年端もいかぬ少女がひとりで宿泊している宿の部屋へ無理矢理押し入ったとあっては……。

おまけに、私が割と金回りがいいということは、泊まっている宿のランクや、宝石の換金用に着替えていた服やアクセサリーで、宿の人やその他大勢に知られている。

なので、身体目当てか、お金目当てか……。

どちらにしても、連中が面識のない少女の部屋へ押し入った理由が犯罪目的であるということを覆せる説明のしようがないだろう。

私が旅の疲れで寝込んでおり見知らぬ者と会うのを断ったこと、宿の人の制止を振り切って押し入り、女性の部屋に声も掛けずに入り込んだことは、多くの人が証言してくれる。

これで、他の神官や神殿の手の者が接触してきても、大声で『ぎゃあああ！　神殿の手の者が私の口を塞ぎに来ましたああぁ〜〜!!』と叫べば大丈夫だ。今回の件を知っている者なら、誰もそれを疑うことはないだろう。

……いや、事実、本当に口封じに来る可能性があるからなぁ……。

神殿の連中は、不祥事を揉み消すためなら野良巫女の命なんか何とも思わないだろうからね。

しかし、お隣が警備隊詰所だというのは心強いな。

偶然とはいえ、良い宿を選んだものだ。

偉いぞ、数日前の私!!

＊　＊

「ななな、何だとおおぉっ!!

王宮が必死になって囲い込もうとしている、御使い様である可能性がある少女に、神官達が自分を襲おうとしたと勘違いされた上、お迎えに送った者達が全員警備隊に捕縛されただとおっ！

い、いったい、どうしてそのようなことに！

……い、いや、それよりも、何とかせねば！　何とかせねばあぁぁっ!!」

＊　＊

「神殿が御つか……、自由巫女の少女を襲っただとおっ！

ばっ、馬鹿者めがっっ！　この大陸を海に沈めたいのかっ！

すっ、すぐに様子を見に行かせろ！　もし巫女様がお怪我をなさっていたり、動転されていたり、怖がっておられたりした場合、直ちに護衛を派遣して、王宮へとお連れしろ！

……但し、あくまでも巫女様の御意思が最優先だ！　決して無理強いしてはならぬぞ、いいな！

調査に派遣するのは、お前が最も信頼する……、いや、お前自身が行け！

私は、私が最も信頼する者を行かせるべきだ。後悔はしたくないからな。

お前の判断に、多くの命が懸かっているということを忘れるな。

……行け！」

「はっ！」

未だかつて、このような重責を背負わされた者はいまい。

財務大臣は、あまりにも大きな責任に顔を蒼くしながらも、力強い返事を残し、姿を消した。


「神殿に使いを出せ！　そして、国王が『死にたくなければ、すぐに、今回の事情を全て知っていて、ちゃんと説明できる者を連れて来い。神殿の意思決定権を持つ者も一緒にだ。そいつの馬鹿な言動のせいで自分達が皆殺しにされるのが嫌なら、頭の良い、まともなヤツを寄越せ。自分達の命を預けても後悔しないヤツをな』と言っていた、と伝えろ。急げ！」

「はっ！」

側に控えていた軍務大臣が、頭を下げた。

おそらく、部下を使いに出すのではなく、自分が行くのであろう。

先程の、国王と財務大臣の会話を聞いていたのである。馬鹿でなければ、そうするに違いない。

もし、部下を使いにやって、神殿側がまともに取り合わなければ。

自分から部下へ、そして部下から神殿側の取り次ぎ役へ、そしてそれから上層部へという伝言ゲームの中で、もし言葉のニュアンスが微妙に変化し、陛下の意図が正確に伝わらなければ。

そう考えると、恐ろしくて、とても他の者に任せる勇気など出るはずがない。


そして、軍務大臣が走り去った。

重圧と恐怖に蒼ざめながらも、『自分がこの国を、いや、この大陸を護るのだ！』という使命感に、心を滾(たぎ)らせながら……。

＊　＊

「……というようなことが、あったぞな……」

『コイツ、やりやがった……』

『ぶあっはっはァ！』

呆(あき)れるレイコと、爆笑する恭ちゃん。

「いや、神殿に目を付けられたり、ちょっかいを出されたりすると面倒じゃん」

『……などと、思い切り神殿の注目とヘイトを集める行為をやらかした犯人が、ワケの分からない供述をしており……』

『ぶあっはっはァ！』

　一段落したので、宿の自室からふたりに連絡して事の次第を説明したところ、散々な言われようだった。

　恭ちゃんなんか、笑いすぎて話に参加できていない。

『カオル、やり過ぎ！

　やってきた神官達も、別にカオルを捕らえようとか考えていたわけじゃないんでしょう？

　それを、未成年者誘拐未遂犯に仕立て上げちゃって……。

　妻子持ちの、ただの信仰心篤き宗教関係者が、上司の命令で来ただけかもしれないでしょ。

　それも、女神の加護持ちを神殿に案内するという、本人にとっては神官として正しい行いであり、野良巫女にとっても光栄なことで、相手にも喜ばれると信じてのことかも……』

　あ、そういう考え方もあるか。でも……。

「だって、宿の人に『長旅で疲れ果てて寝込んでる』って伝えてもらったんだよ。

　なのに宿の人達の制止を振り切って無理矢理押し入ってきたんだよ、体調を崩している女の子がひとりで寝ている、って言われた部屋に、声も掛けずに……。

　それって、相手に対する敬意も何もない、ただの自分勝手な強要でしょう？

　そんな連中に、何か配慮してあげる必要とか、あるの？」

『あ、そういう経緯なら、自業自得よね。このまま放置でいいんじゃない？』

『いえ、それでも、それだけで信じている宗教を破門になったり犯罪者になったりするのは、ちょっと気の毒でしょう？

せめて、数日間牢に入れられる程度で、犯罪奴隷とかにはならないようにしてあげるべきでは？』

……恭ちゃんとレイコの意見が、かなり違う。

う～ん、どうしようかなぁ……。

こういう時、恭ちゃんは厳罰主義だけど、レイコは『やったことに釣り合う処罰を』という主義なんだよね。それと、悪意の有無、っていうのも重視するんだ。

でも恭ちゃんは、悪意があろうがなかろうが、やったことの『事実』を重視する。悪気があろうがなかろうが、やっちゃったことには責任を取らせる、って考え方なんだ。

そして、『え、悪意がなくやったわけ？　悪意がないのにこんなことをやっちゃうということは、それが全然悪いことじゃないと思っているわけだよね？　ということは、全く反省していないし、次もまた悪気なく平気でやっちゃうってコトだよね？　そして、悪意がなくてコレなら、悪意があればとんでもないことをしでかすってことだよね』と責め立てて、厳罰が下るように場の雰囲気を誘導する。

そして私は、相手が与えようとした被害の大小と、再犯の確率を重視する。

相手がナイフを構えて突っ込んできたとしたら、それが刺さって殺されたか、何とか躱して生き延びられたかは、結果論でしかない。相手の意図と行為は、どちらも同じだ。

だから、躱せて無傷だったとしても、相手には厳罰を与えるべきだと思うんだよね。

未遂だからと軽い罪にして釈放したら、絶対にまた襲い掛かってくるし……。

だから、相手が与えたではなく、与えようとした被害と、またやらかすかどうかを重視するわけだ。

その、日本ではちょっと認められそうにない私の考え方でも、ここでなら、通すことができる。

被害者が私の場合には、ね。

そして、今回の場合は……。

「う～ん、無理矢理連れて行く、という以外の暴力を振るうつもりはなかったかもしれないし、上司の命令で来ただけだろうし……。それだけであまり気の毒なことになるのは、ちょっと可哀想かも……。

またやらかすかどうかは上司の命令の有無によるし、もし今回の実行犯が拒否しても、上司は別の者に命令するだけだろうからなぁ……。

悪いのは上司であって、あの連中じゃないか……」

うん、そういうことだよねぇ……。

悪いヤツが数人含まれているからといって、その組織に所属する者全てが悪党だというわけじゃない。世界征服を企む、悪の秘密結社とかじゃない限り……。

だから、神殿の神官達の中には、純粋な信仰心を持った敬虔(けいけん)な信徒もいるだろう。

昔、完全に腐りきっていたのは、総本山であるルエダ聖国だ。

その他の国にある神殿は、宗教的にはルエダ聖国の教皇をトップとしていたけれど、だからといって戦争の時にはルエダ聖国の味方をする、というようなものじゃなかった。

あくまでも、各国の神殿はセレスティーヌを信仰し、そしてそれぞれの国の味方だ。

別に、ただの人間である教皇に盲目的に従うというような関係じゃなかった。

それに、あの講和会議に顕現したセレスは、各国の代表者達に『ルエダと完全に手を切るならば、引き続き自分の名前を使ってもいい』と言った。

……つまり、あの件は全てルエダ聖国のせいであり、汝ら罪なし、とのお墨付きを与えたわけだ。以後、ルエダ聖国に一切関わらないならば、という条件付きで……。

だから、ルエダ聖国の残党によって私が消滅した時も、セレスは各国の神官達には何もしなかった。

それはつまり、今の神殿勢力はルエダ聖国の上層部が犯した罪とは一切関わりない、ということだ。女神自ら、それを示したわけだから……。

あの時、この大陸中の宗教関係者達は、皆、悔い改めたはずだ。

時の流れは、それを再び曇らせてはいるけれど……。

「分かった。明日、警備隊本部に行って、捕らえられている連中に、私にどんな用があって、どうしようとしていたかを聞いてくる。それによって、『体調不良で臥せっていたため会うのをお断りしましたが、そういうことであれば……』とか何とか言って、減刑のお願いをする流れに持っていくよ……」

『うん、妥当な判断ね』

『え～……』

賛成するレイコと、不満そうな声を漏らす恭ちゃん。

うん、恭ちゃんは、そういうヤツなんだよ……。

悪党には、容赦なし。可愛く微笑んで、とどめを刺す。

それが、見た目は子供、頭脳は大人気ない、恭ちゃんなんだよなぁ……。

「ふざけたことを言ってくれた場合は、ちゃんと『厳正な処罰をお願いします』って言っておくよ」

『うん、まぁ、それなら……』

恭ちゃんも、それで妥協してくれたようだ。

それじゃ、そういうことで……。

＊　＊

「おお、御使い様！　誤解が解けたのですね！　こちらがお迎えに行くところを、わざわざ足をお運びいただき、申し訳ありません……」

「この、小娘が！　神殿からの召喚を拒むとは、何たる無礼！　さっさと己の非を詫びて、警備隊の者共に自分が悪かったと説明するのだ！」

警備隊本部に顔を出して連中に面会させてもらったところ、4人組の神官達は、謝罪の言葉を口にする温厚そうなふたりと、偉そうに罵倒してくる強面のふたりに分かれた。

あ～……。

ム――!!

「じゃ、こっちの人達は釈放、こっちの人達は厳罰、ということでお願いします」

警備隊の人に、そう伝えたところ……。

「「えええええ!!」」

何だか、驚いているらしき強面のふたりの神官。

……いや、そうなるのは当たり前だろう。いったい、何を驚いているんだ？

宿の人達を押し退けて無理矢理部屋に押し掛けたのは、多分偉そうなふたりが強行したのだろうな。

温厚そうなふたりは、それを止めきれなかったのか……。

着替え中の私に驚いて言い訳をしていたのは、温厚な方の人だったよね、確か……。

だから、この人達はそう悪い人じゃないかも、と思っていたのだけど、悪い人じゃなけりゃ、無理矢理押し掛けたりはしないか。女性が臥せっている部屋へ……。

態度が悪い方は、勝手にドアを開けたら女性が着替え中だったから、驚いて声が出なかっただけかな。

まぁ、神殿内にも派閥や権力争いはあるよね。

女神の加護持ちを迎えに行くのに、自分の派閥の者を使いたいのは当然だろうから、複数の派閥の者達の混成チームとなったわけか。

私を丁重に迎える派と、偽の自称・加護持ちをいいように利用しようとか考えている、敬意の欠片も抱いていない連中の……。

「主犯は、そっちのふたり。こっちのふたりは、野良巫女にもちゃんと敬意を払ってくれているみたいだし、そっちのふたりの暴走を止められなかっただけでしょう。だから、叱責くらいで許してあげて。

主犯のふたりは、……規則に則って、厳正な処罰をお願いします」

「分かりました。どうぞ我らにお任せください！」

案内してくれた警備兵のおじさんが、頷きながらそう約束してくれた。

そして……。

「「おおお、ありがとうございます!!」」

「「そ、そんな！　なぜだ！　どうして……」」

いや、そこ、疑問に思うようなとこ？

＊　＊

「えええ！　御つか……自由巫女様が、警備隊本部へ行かれて、捕らえられた連中にお会いになっただと！　……そして、連中に暴言を吐かれたあぁ？

馬鹿者、なぜそんなことを許した！　連中に、巫女様に無礼な真似をすれば打ち首だと脅しておおかなかったのか!!」

「……いえ、まさか巫女様が自ら連中に会いに行かれるなどとは、思いもせず……」

「……確かに、現行犯で捕らえられた犯人に、被害者の女性が会いに行くなどとは誰も思わぬか。これについては、仕方ないか……。警備隊関係者への処罰の必要はない。

くそ、後手に回りっぱなしか……。

しかし、臨時警備隊詰所の設置が間に合ったことだけは、重畳であった……。

そちらの準備関係者には、褒美を取らせよう。

あと、臨時出向となった近衛兵達への特別手当も、少し色を付けてやろう。ぎりぎりで神官共の暴挙を阻止できたのは、大手柄だからな……」

「はっ！」

報告に来た警備隊からの連絡員が、感謝の念を込めて頭を下げた。

おそらくこの者も、その臨時出向した近衛兵とやらのひとりなのであろう。

秘密の拡散防止、そして優れた剣技と判断力を持った優秀な者を大急ぎで揃えるにはそういう手段しかなかったのであろうが、国王のその判断は見事にその成果を見せたのである。

それは、そう指示した国王自身にとっても、嬉しく誇らしいことであったに違いない。

＊　　＊

（しかし、強硬派の方は、どうしてあんなに強気だったのかなぁ。何か、警備隊の人達に対しても偉そうな態度だったし……。

もしかすると、神殿の勢力はかなりの権限を持っていて、警備隊に対しても圧力が掛けられるとかかな？

でも、この件に関してはきちんと対処してくれているよねぇ。

被害者が野良巫女……、自由巫女だからかな？　それとも、私が未成年の少女に見えるからかな？

ま、どっちにしても、ありがたいことだ。この程度の文明レベルの国としちゃあ、抜群の治安維持力だよ。見直したぞ！）

カオルは、王都では神殿の勢力が強いと聞いた時点で、警備隊は神殿側の味方をするのでは、と考えていた。

何しろ、警備隊は支配者側の組織であるし、神殿勢力が政権と繋（つな）がっているというのは『あるある話』である上、仮にも神殿は『実在する女神、セレスティーヌとの仲介者』という立場なのである。権力者が懇意（こんい）にしていても、文句を言われる筋合いはない。

……逆に、信心深い良き王族、良き貴族、というわけである。

だから、宿に押し入られた時、ああいう騒ぎにしたわけである。

押し入ったのが神官であっても、これは神殿としての正しい行いではなく、ただの少女の部屋への押し入りと誘拐未遂であり、神官による犯罪行為である、という大々的なアピール。

警備隊によって揉み消されないようにとの、宿や周辺の人達への大声での状況説明。

（警備隊には、状況を一旦停止させて、神官達が私を無理矢理連れて行こうとするのを一時的に阻止し、追い払ってもらえれば充分で、後のことはあまり期待していなかったんだよねぇ。捕らえられた神官達も、どうせすぐに無罪放免だろうと思って……。

なのに、驚いたことに、神殿の者達を敵に回してでも庶民の味方をしてくれるとは……。

こりゃ、いつか警備隊に恩返ししなきゃならないよね……）

＊　＊

「な、ななな……」

釈放されて戻ってきたふたりの神官からの報告に、言葉を詰まらせる大司教。

ルエダ聖国の一件で『教皇』という名が極悪人の代名詞となってしまい、地に落ちた。

それに、各国の神殿がそれぞれ勝手に自国で教皇を擁立した場合、争いが起きて大問題になるため、各国はそれぞれ教皇及びその候補者であり教皇の相談役である枢機卿の役職は空席とし、国の神殿における最高位者を『大司教』としているのである。

なので、現在この国における神殿の最高位者であるのが、この大司教なのであるが……。

「陛下からの、殆(ほとん)ど脅迫か恫喝(どうかつ)に近い呼び出しに私自らが急ぎ参内(さんだい)し、心臓が止まるかと思うような話を聞かされて死ぬ思いをし、ようやく戻ってきて最初に聞かされた話が、これですか……。

ええい、殺せ!!」

「だ、大司教様……」

……無理もない。

大司教は、74年前の、あの大事件のすぐ後に生まれた世代である。

なのであの事件をリアルタイムで見聞きしたわけではないが、事件を直接体験した世代の者達から、二度とあのような事件が起きないようにと幼児の頃から耳にタコができるほど言い聞かせられた世代なのである。

そしてそれは、少年から青年へと成長し、見習い神官となってからも、ずっと続いた。

慈愛の大聖女、御使いカオル様。

時々大災害を予告して人々をお助けくださるが、たまに自ら大陸を海に沈めて滅ぼす女神、セレスティーヌ様。

そして、女神の暴虐に敢然と立ち向かい、大陸をお救いくださった、大陸の守護者、絶対英雄、鬼神フラン様……。

まだ、生き証人がゴロゴロいた時代である。体験談を聞く相手には不自由しなかった。

そしてまだ若い頃に、既に50歳を過ぎておられる筈なのに20代のように若々しいお姿のフラン様のお姿を見たことがある大司教は、心の底から心酔した。

女神の恐ろしさも、その女神を諫める御使い様と大陸の守護者のありがたさも、骨身に染みて理解した。

……そして、今。

当時のことを直接知る者達が殆ど死に絶え、事件のことは図書館の埃まみれの資料の中に埋もれ……。

しかし、あれ程の大事件である。

いくら遠い地、この大陸の反対側での出来事だとはいえ。

いくらここへ伝わるまでに尾ひれが付いて、大袈裟なホラ話のようになっているとはいえ。

きちんとした、正式な文書や報告書として伝えられたものもあるのである。

なのに、まさか神殿の中でまで、若い者達が女神絡みのことをこれほどまでに軽視するとは。

あまりのことに、一瞬自棄になりかけた大司教であるが……。

「……すまぬ。自分がどうなろうと、民草を護るのが聖職者の務めであったな……。

ふたりとも、よくやってくれた。

強硬派のふたりを止められなかったのは残念であるが、その後は、あのふたりの言動をカバーし、神殿側には御使い様を敬う者達もいるということをお分かりいただけたことは、そなた達の功績である。

そなた達に御慈悲を賜ったということがその証であり、我らが決して御使い様の敵ではないということを御理解いただけたということだ。

そして同時に、神殿にはそうではない者達もいる、ということも御理解いただいたということであるから、今後、御使い様に接触できるのは我々『御加護を賜った少女を護る派』だけであり、利用しようとする連中は遠ざけられるであろう。

神殿側全体としては大失点であったが、それだけは手柄であるな……。

よし、御使い……、いや、巫女殿に顔を覚えていただき、『味方である』と認識していただいたそなた達ふたり、これからも巫女殿との折衝役として、頼むぞ！」

「「ははっ‼」」

自分達に与えられた光栄な、そしてあまりにも重責である任務に、嬉しくはあるものの少し顔を蒼くして退出する、ふたりの神官であった……。


「……前の御使い様である、大聖女カオル様は、ルエダ聖国の件もであるが、それ以前から神殿とは少し疎遠にされていたと聞いている……。正式文書としては残っておらぬが……。

あまり御使い様として騒がれるのはお好きではなく、ひとりの聖職者として静かに暮らすことを望まれていたのであろうか……。

此度（こたび）の少女は、女神の御加護を戴いているとのことであるが、まだそれを正式に確認したわけではない。

それに、明らかな奇跡、人の身では為し得ないことを行われたカオル様とは違い、ごくささやかな、普通の医師や薬師にもできる程度のことを為せるというのは、『奇跡』と言ってよいものかどうか……。

もし本当に弱い御加護があった場合、聖女に認定するのは問題ないであろう。私財による孤児や貧民への救済活動も合わせれば、文句を言う者はいないであろう。……利用価値が上がるからと、強硬派の者達も賛成するであろうからな。

しかし、大聖女にするには、それでは少し弱いか……。

まぁ、今はそんなことを考えていても仕方ない。全ては、直接お会いして、色々と確かめてからの話だ。

願わくば、女神の御加護を授かりし巫女エディス様が神殿の穏健派と仲良くしてくださり、……そして、あまり目付きが悪くありませんように……」

そして大司教は、祈りの間へと向かうのであった……。

書き下ろし　素材を求めて

「旅に出よう！」

「何を、藪から棒に……」

いきなり何やら言い出した恭ちゃんに、そう返すレイコ。

「いや、珍しい商品や高く売れるものをたくさん用意しておくのが、デキる商人ってもんでしょ？」

そんなことを言う恭ちゃんだけど……。

「恭ちゃん、私達と合流する前に、私達の捜索兼世界旅行であちこちを回って、色々なものを集めたって言ってなかった？」

「うん、人里から遠く離れたところにあるものの採取とか、宝石を売ったお金で色々と買ったりはしたけれど、自分で魔物を狩ったりはしていないんだよね……」

あ～、それは分かる。恭ちゃんは、動物を狩るとかいうタイプじゃないからね。

だから、探知機か何かで地上をスキャンして珍しいものを探すか、お金に物を言わせて色々と買い漁ったのか……。

普通の少女がそんなにお金を使ったら、すぐに悪い連中に襲われるだろうけど、……恭ちゃんだからなぁ……。

　悪党共の冥福をお祈りしておこう。


「それで、珍しい魔物や動物の素材、薬草やら色々と仕入れたいな、と思って……」

　あ〜、確かに素材集めをしたいというのも本当だろうけど、……これ、アレだ。

　超久し振りに、3人で旅行がしたいんだ、恭ちゃん……。

　でも、それも無理はないか。3人が、私にとっては体感的に5年チョイ、ふたりにとっては数十年振りに再会してから、ずっとバタバタしていたからなぁ……。事件がない時も、子供達の相手とか、事業の展開とかで色々と忙しかったし……。

　学生時代を思い出して、一発、旅に出るのもいいか……。

　それに、レイコとは大陸を横断する馬車の旅（一部、騎乗での旅）をしたからなぁ。

　その話をした時、ぐぬぬ、っていうような顔をしてたよなぁ、恭ちゃん……。

　子供達も、ちゃんと状況を説明しておけば、1週間くらいは私達抜きでも大丈夫だろう。

　そして、ちゃんと領主様とハンターギルドに頼んでおけば、安全面でも問題ないだろうし。

　レイコにアイコンタクトすると、レイコが軽く頷（うなず）いた。

　……うむ。

「「承認！」」

＊　＊

「じゃあ、数日間素材集めの旅に出るから、その間、言いつけを守ってしっかりやるのよ。何か困ったことや危険なことがあれば、すぐに警備隊かハンターギルド、商業ギルド、もしくは領主様の邸に連絡すること！　ちゃんと根回ししてあるから、すぐに助けてもらえるからね！」

「「「「は～い！」」」」

うむうむ、良い返事だ。

……では、出発！

『待て！』

『『待て待て待て待て待て!!』』

ん？

『ただでさえ出番が少ないというのに、旅に出るのに我らを置いて行かれて堪（たま）るか！』

『何のための乗用馬だよっ！　……あ、馬車も牽（ひ）くぜ!!』

あ～、ハングとバッドかぁ。

うん、その主張は、よぉ～く分かる。

そりゃそうだよねぇ……。

「分かった。一緒に行こう！」

『『やった～‼』』

＊　　＊

『『……』』

「あれ、どうかした？」

先程から、ハングとバッドが、むっつりとした顔で黙り込んでいる。

出発した時には、あんなに喜んでいたのに……。

『『…………』』

ホント、いったい、どうしたというのだろうか。

私がハングに、レイコと恭ちゃんがバッドに乗って『リトルシルバー』を出発した時には、2頭共機嫌が良かったのになぁ……。

暗くなってから、恭ちゃんの搭載艇を呼んでみんなで乗り込んでから、急に無口になって、機嫌が悪くなったんだよねぇ。

どうしちゃったのだろうか……。

＊　　＊

「ここが、西の大陸。まだ私達が住んでいる大陸の人達には発見されていないみたいだけどね。この大陸の中央付近にある人跡未踏の地や、人間が住んでいる場所の近くにあるけれど『入った者は二度と戻らない』と言われている死の森とか、ま、色々な穴場があるらしいんだよねぇ」

恭ちゃん、地元(じもピー)の人々が恐れる魔境を、『穴場』のひと言で片付けやがった……。

……いや、分かるよ？

バリアとかシールドとかを張ったり、上空からビーム兵器で撃つだけの簡単なお仕事だってことは……。

恭ちゃんがひとりで来た時は、狩りじゃなくて採取だけだったそうだから、センサーでスキャンして真っ直ぐ目的物のところへ行って、周囲にバリアを張って自分の手で採取するか、マニピュレーターを使うか、それともロボット……自我を持たない、命令に従うだけのやつ……に取ってこさせるか、とにかく危険は全くない、超安全な方法で採取したに違いない。

そして今回の狩りも、危険度的には、それと大して変わらない、ということだ。

……チート野郎め……。

＊　＊

「……で、この気の毒な被害者をどうするか……」

私達の前にいるのは、地面に横たわりビクビクと痙攣(けいれん)している、一頭の動物。

……頭に生えていた長い一本角を切り落とされて、死にそうな顔をした……。

「肉や毛皮とかは必要ないから、このまま解放(リリース)、でいいんじゃないの？」

私の呟(つぶや)きに、そう返事するレイコ。

しかし、そこに恭ちゃんから物言いがついた。

「それじゃ、可哀想だよ！　多分、この子にとって立派な角は強く優れた雄(おす)としての誇りだったと思うのよ。それを失ったら、雌にモテなくなったり、群れを護れなくなったりしない？」

「あ……」

うん、確かにその通りだ。

じゃあ、どうすれば……。

＊　＊

「うん、完璧！　……完璧の母！」

「「…………」」

ここは、恭ちゃんの母艦の、医務室……というか、手術室。

執刀は、勿論(もちろん)、全自動の万能手術マシン。

いくら恭ちゃんがこの艦(フネ)の設備の使い方を知っているといっても、恭ちゃんに医学的な知識や技術があるわけじゃない。

……それに、もし恭ちゃんに医学的な知識と技術があったとしても、恭ちゃんに手術を任せようと考える勇者は存在しないだろう。『恭ちゃん』という人間を知っている者なら……。

で、麻酔で眠り手術台に横たわっているのは、勿論、アレ。私達に大切な角を切り落とされた、気の毒な一角獣(ユニコーン)さん。

そして今、その切り落とされた角は、残った根元の部分に接合された特殊合金製のものに取って代わっている。

錆(さ)びず、折れず、曲がらず。

元の角と同じ形、同じ色の、ぴかぴかと輝く立派な角。

うむうむ、カッコいいぞ。これなら、雌にモテモテだろう。

医療ロボットは、この個体が寿命を迎えるより先にこの人工角が駄目になる確率はほぼゼロだと言っているけれど、念の為に、この個体の生命反応があるうちに角が外れたり壊れたりした時には信号が発信されるようにしておいた。

アフターサービスは万全だ！

あとは、地上の元の場所に降ろして、麻酔が覚めるまでバリアで護ってやるだけの、簡単なお仕事だ。

＊　　＊

よし、私達に角を献上してくれた信心深い一角獣（ユニコーン）は、無事麻酔から覚めて、なくしたはずの角があることに驚き、あれは夢だったのかとでも思ったのか、何度か頭を振ってから、立ち去っていった。

うむうむ、ミッション・コンプリート！

「よし、次の獲物を求めて、ＧＯ！」

「「おおっ!!」」

動物に被害を出さなかったことに気を良くしたのか、恭ちゃんもやる気いっぱい、元気そうな声で右腕を突き上げた。

……そして勿論、その後あの一角獣（ユニコーン）が無敵の角で敵を薙（な）ぎ払い、群れの縄張りを大幅に拡大。一角獣（ユニコーン）の個体数の激増をもたらすことになるなどということは、その時の私達には知る由もなかったのである……。

＊　　＊

「……ねぇ、カオル……。

わざわざ特殊合金製の角を付けてやらなくても、カオルがポーションで再生させてやればよかったんじゃないの？」

「あ…………」

あとがき

お久し振りです、ＦＵＮＡ（ふな）です。

『ポーション頼みで生き延びます！』書籍版、遂に2桁、第10巻の刊行です！

いよいよ名が売れ始め、羽虫（はむし）が集（たか）り始めた野良巫女（みこ）エディス（カオル）。

そして、羽虫を払い、いよいよ王都へ進出だ！

完璧な作戦を遂行している……つもりの、カオル達。

そして、それを完全に読み、絶妙のフォローをする王様達。

次巻、ＫＫＲ３人組の、王都での暗躍が始まる!!

レイコ「カオル、彼らに胃薬を売ってあげなさい」
恭子（きょうこ）「育毛剤もね！」

『ポーション』のアニメ、現在、ＡＢＣテレビ・テレビ朝日系列全国24局ネット、ＢＳフジ等で絶賛放送中ですよっ！

見逃していた人は、Blu-ray 第1巻、２０２３年12月20日（水）発売です。

10月6日にスピンオフコミックス『ポーション頼みで生き延びます！　ハナノとロッテのふたり旅』第1巻、11月9日に『ポーション頼みで生き延びます！　続』第2巻（本編コミックス第11巻に相当）が発売されました。

そして12月7日には『老後に備えて異世界で8万枚の金貨を貯めます』のコミックス第12巻が発売です。

小説と併せて、よろしくお願いいたします。

担当編集様、書籍版イラスト＆スピンオフコミック『ハナノとロッテのふたり旅』のすきま様、本編コミカライズを引き受けてくださいました園心（おんしん）ふつう様、装丁デザイナー様、校正校閲様、その他組版、印刷製本、流通、書店等の皆様、小説投稿サイト『小説家になろう』の運営さん、誤字の指摘やアドバイス、アイディア等をくださいました皆様、そしてこの本を手に取ってくださいました皆様に、心から感謝致します。

ありがとうございます！

そして、次巻でまたお会いできることを信じて……。

FUNA

ポーション頼(だの)みで生(い)き延(の)びます！10

FUNA(ふな)

2023年11月29日第1刷発行

発行者	森田浩章
発行所	株式会社 講談社 〒112-8001　東京都文京区音羽2-12-21
電　話	出版　(03)5395-3715 販売　(03)5395-3605 業務　(03)5395-3603
デザイン	ムシカゴグラフィクス
本文データ制作	講談社デジタル製作
印刷所	株式会社KPSプロダクツ
製本所	株式会社フォーネット社

ISBN978-4-06-534121-6　N.D.C.913　271p　19cm
定価はカバーに表示してあります

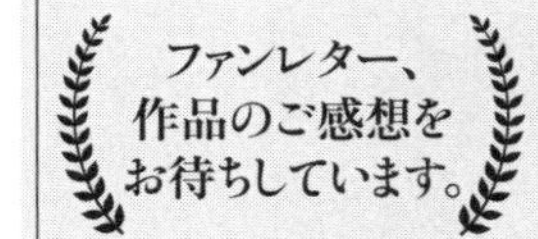

あて先
〒112-8001　東京都文京区音羽2-12-21
(株) 講談社　ライトノベル出版部 気付
「FUNA先生」係
「すきま先生」係

転生貴族、鑑定スキルで成り上がる1～5
～弱小領地を受け継いだので、優秀な人材を増やしていたら、最強領地になってた～

著:未来人A　イラスト:jimmy

アルス・ローベントは転生者だ。
卓越した身体能力も、圧倒的な魔法の力も持たないアルスだが、
「鑑定」という、人の能力を測るスキルを持っていた！
ゆくゆくは家を継がねばならないアルスは、鑑定スキルを使い、
有能な人物を出自に関わらず取りたてていく。
「類い稀なる才能を感じたので、私の家臣になってほしい」
アルスが取りたてた有能な人材が活躍していき――！